Dichter über ihre Dichtungen

Verantwortliche Herausgeber
Rudolf Hirsch
und Werner Vordtriede

Heimeran

Kafka

Franz Kafka

Herausgegeben von
Erich Heller
und Joachim Beug

Heimeran / S. Fischer

unter den Regengüssen ertrinkend zum letzten-
mal nur ihr Gesicht an ein Kajütenfenster
drücken dürfen, damit der Parterrebesucher
etwas Dunkles dort sieht.

17 Zeno sagte auf eine dringliche Frage hin, ob denn
nichts ruhe: Ja der fliegende Pfeil ruht

Wenn die Franzosen ihrem Wesen nach Deutsche
wären wie würden sie dann erst von den deutschen bewundert sein.

Daß ich soviel weggelegt und weggestrichen
habe, ja fast alles was ich in diesem Jahre
überhaupt geschrieben habe, das hindert mich
jedenfalls auch sehr am Schreiben. Es ist
ja ein Berg, es ist 5mal soviel als ich
überhaupt je geschrieben habe und schon
durch seine Masse zieht es alles was
ich schreibe, mir unter der Feder weg
zu sich hin

18 Wenn es nicht zweifellos wäre, daß der Grund
dessen, daß ich Briefe (selbst solche voraussichtlich
unbedeutenden Inhaltes wie eben jetzt einen) eine
Zeitlang uneröffnet liegen lasse, nur Schwäche
und Feigheit ist die mit dem Aufmachen eines
Briefes ebenso zögert, wie sie zögern würde

Über einzelne Werke

Kafka an Max Brod [1]   [Prag, 18. März 1910]
An der Novelle [2], lieber Max, freut mich am meisten, daß ich sie
aus dem Haus habe.   (Br. 80)

Kafka an Max Brod   [Jungborn im Harz, Juli 1912]
Ich bin außer Stande und werde es kaum in nächster Zeit im
Stande sein, die noch erübrigenden Stückchen [3] zu vervollkommnen.
Da ich es nun nicht kann, es aber zweifellos in guter Stunde einmal
können werde, willst Du mir wirklich raten – und mit welcher
Begründung, ich bitte Dich – bei hellem Bewußtsein etwas Schlechtes drucken zu lassen, das mich dann anwidern würde, wie die
zwei Gespräche im »Hyperion« [4]? Das , was bisher mit der Schreib-
maschine geschrieben ist, genügt ja wahrscheinlich für ein Buch
nicht, aber ist denn das Nichtgedrucktwerden und noch Ärgeres
nicht viel weniger schlimm als dieses verdammte Sichzwingen. Es
gibt in diesen Stückchen ein paar Stellen, für die ich zehntausend
Berater haben wollte; halte ich sie aber zurück, brauche ich niemanden als Dich und mich und bin zufrieden. Gib mir recht! Dieses

1 Der Prager Schriftsteller und Journalist, der Kafkas nächster
Freund und später der Verwalter seines literarischen Nachlasses
war.
2 Kafka hatte das Manuskript Max Brod geschenkt.
3 Die Geschichten für den Band »Betrachtung«
4 »Gespräch mit dem Beter« und »Gespräch mit dem Betrunkenen«
erschienen gesondert im Heft VIII der Zeitschrift »Hyperion«, Jahr-
gang 1909, München, sind aber Teil des Fragments »Beschreibung
eines Kampfes«.

künstliche Arbeiten und Nachdenken stört mich auch schon die ganze Zeit und macht mir unnötigen Jammer. Schlechte Sachen endgültig schlecht sein lassen, darf man nur auf dem Sterbebett. Sag mir, daß ich recht habe, oder wenigstens, daß Du es mir nicht übelnimmst; dann werde ich wieder mit gutem Gewissen und auch über Dich beruhigt etwas anderes anfangen können. (Br. 99)

Hochzeitsvorbereitungen auf dem Lande
1907
Erstdruck: »Die Neue Rundschau« 62, Frankfurt/M. 1951
Buchausgabe: in Bd. VI »Gesammelte Werke«, Frankfurt/M. 1953

Kafka an Max Brod   [Prag,] 17. XII. [1910]
Das Stückchen der Novelle, das beiliegt, habe ich vorgestern abgeschrieben und lasse es jetzt schon dabei. Es ist schon alt und
sicher nicht fehlerlos, aber es erfüllt sehr gut die nächste Absicht
der Geschichte.   (Br. 85 f.)

Die Aeoroplane in Brescia
September 1909
Erstdruck: »Bohemia«, Prag, 29. September 1909
Buchausgabe: in Max Brod, »Franz Kafka – Eine Biographie«,
Prag 1937

11. November 1911

Er will in das Buch [1] auch mein Brescia aufnehmen. Alles Gute in mir wehrt sich dagegen. (T. 154)

Kafka an Felice [2]   [Prag,] 20. IV. 14
[...] ich schicke Dir nächstens zwei gedruckte Kleinigkeiten von unsern Reisen, eine erträgliche von mir und eine ganz unerträgliche von uns beiden gemeinsam geschrieben [3]. (F. 559)

1 Max Brod, »Über die Schönheit häßlicher Bilder«, Leipzig 1913.
2 Felice Bauer war Kafkas Verlobte.
3 »Richard und Samuel«, geschrieben in Zusammenarbeit mit Max Brod.

Großer Lärm
November 1911
Erstdruck: »Herderblätter«, Prag, Oktober 1912
Buchausgabe: in Bd. VIII »Gesammelte Werke«, Frankfurt/M. 1951

Kafka an Felice   [Prag,] 11. XI. 12
Nein, ganz zurückgezogen von meiner Familie lebe ich nicht. Das
beweist die beiliegende Darstellung der akustischen Verhältnisse
unserer Wohnung, die zur wenig schmerzlichen öffentlichen Züch-
tigung meiner Familie gerade in einer kleinen Prager Zeitschrift erschienen ist [1].   (F. 87)

---

1 »Großer Lärm« war zuerst in den Prager »Herder-Blättern« I,
4–5 (Oktober 1912), S. 44 erschienen.

Richard und Samuel
(in Zusammenarbeit mit Max Brod)
Oktober 1911 – Januar 1912
Erstdruck: »Herderblätter«, Prag, Mai 1912
Buchausgabe: in Bd. I »Gesammelte Schriften«, Berlin 1935

12. Oktober 1911
Gestern bei Max am Pariser Tagebuch geschrieben.   (T. 93)

20. Oktober 1911
Den 18. bei Max; über Paris geschrieben. Schlecht geschrieben,
ohne eigentlich in das Freie der eigentlichen Beschreibung zu kommen, die einem den Fuß vom Erlebnis löst.   (T. 104)

30. Oktober 1911
[. . .] mein durch mehrere Tage schon ziemlich leeres Innere [war]
ziemlich unvorbereitet mit so schwerer Trauer angefüllt, daß ich
Max auf dem Nachhauseweg erklärte, aus »Robert und Samuel« [1]
könne nichts werden. Zu dieser Erklärung war damals weder mir
noch Max gegenüber auch nicht der geringste Mut nötig. Das folgende Gespräch verwirrte mich ein wenig, da »Robert und Samuel«
damals bei weitem nicht meine Hauptsorge war und ich daher auf
Maxens Einwände nicht die richtigen Antworten fand. Als ich
dann aber allein war und nicht nur die Störung meiner Trauer
durch das Gespräch, sondern auch der fast immer wirkende Trost
von Maxens Gegenwart entfallen war, entwickelte sich meine
Hoffnungslosigkeit so, daß sie mein Denken aufzulösen begann.
[. . .]   (T. 129 f.)

[1] Der Titel wurde später geändert.

14. November 1911

Jetzt eine Skizze zur Einleitung für »Richard und Samuel« versuchen. (T. 161)

19. November 1911

Ich und Max müssen doch grundverschieden sein. Sosehr ich seine Schriften bewundere, wenn sie als meinem Eingriff und jedem andern unzugängliches Ganzes vor mir liegen, selbst heute eine Reihe kleiner Buchbesprechungen, so ist doch jeder Satz, den er für »Richard und Samuel« schreibt, mit einer widerwilligen Konzession von meiner Seite verbunden, die ich schmerzlich bis in meine Tiefe fühle. Wenigstens heute. (T. 167)

26. November 1911

Mit Max »Richard und Samuel« vormittag und nachmittag bis fünf. (T. 175)

8. Dezember 1911

Freitag, lange nicht geschrieben, nur war es diesmal doch halbwegs aus Zufriedenheit, da ich das erste Kapitel von »Richard und Samuel« selbst beendet habe und besonders die anfängliche Beschreibung des Schlafes im Coupé als gelungen ansehe. Noch mehr, ich glaube, daß sich an mir etwas vollzieht, das jener Schillerschen Umbildung des Affekts in Charakter sehr nahesteht. Über alles Wehren meines Innern muß ich das aufschreiben. (T. 181)

8. Dezember 1911

Schöner einsamer Spaziergang nach jenen gelungenen Stellen in »Robert und Samuel« über den Hradschin und das Belvedere.
(T. 182)

8. Dezember 1911

Max haben die letzten von mir geschriebenen Partien nicht gefallen, jedenfalls deshalb, weil er sie für das Ganze als nicht passend ansieht, möglicherweise aber auch an und für sich für schlecht hält. Dieses ist sehr wahrscheinlich, weil er mich vor dem Schreiben so langer Stellen warnte und den Effekt solchen Schreibens als etwas Gallertartiges ansieht. (T. 182 f.)

15

3. Januar 1912

Ich hatte mir vorgenommen, nachmittag Max aus den Tagebüchern vorzulesen, ich hatte mich darauf gefreut und brachte es nicht zustande. Wir fühlten nicht einheitlich, ich ahnte in ihm an diesem Nachmittag eine rechnerische Kleinlichkeit und Eile, er war fast nicht mein Freund, beherrschte mich aber immerhin noch so weit, daß ich mit seinen Augen mich in den Heften immer wieder nutzlos blättern sah und dieses Hin- und Herblättern, das immer wieder die gleichen Seiten im Vorüberfliegen zeigte, abscheulich fand. Aus dieser gegenseitigen Spannung heraus gemeinsam zu arbeiten, war natürlich unmöglich und die eine Seite von »Richard und Samuel«, die wir unter gegenseitigen Widerständen zustandebrachten, ist nur ein Beweis von Maxens Energie, sonst aber schlecht.

(T. 228)

Kafka an Max Brod   [Jungborn,] 22. VII. 1912

An unserer gemeinsamen Geschichte hat mich außer Einzelheiten nur das Nebendirsitzen an den Sonntagen gefreut (die Verzweiflungsanfälle natürlich abgerechnet) und diese Freude würde mich sofort verlocken, die Arbeit fortzusetzen. Aber Du hast Wichtigeres zu tun [. . .]   (Br. 101)

Kafka an Max Brod   [Marienbad, Mitte Juli 1916]

Für »Richard und Samuel« hast Du immer eine Vorliebe gehabt, ich weiß. Es waren wunderbare Zeiten, warum muß es gute Literatur gewesen sein?   (Br. 141)

Rede über die jiddische Sprache
Februar 1912
Erstdruck: in Bd. VI »Gesammelte Werke«, Frankfurt/M. 1953

13. Februar 1912

Ich beginne für die Conférence zu Löwys¹ Vorträgen zu schreiben. Sie ist schon Sonntag, den achtzehnten. Ich werde nicht mehr viel Zeit haben, mich vorzubereiten und stimme doch hier ein Rezitativ an wie in der Oper. Nur deshalb, weil schon seit Tagen eine ununterbrochene Aufregung mich bedrängt und ich vor dem eigentlichen Beginn halbwegs zurückgezogen ein paar Worte nur für mich hinschreiben will, um dann erst, ein wenig in Gang gebracht, vor die Öffentlichkeit mich hinzustellen. Kälte und Hitze wechselt in mir mit dem wechselnden Wort innerhalb des Satzes, ich träume melodischen Aufschwung und Fall, ich lese Sätze Goethes, als liefe ich mit ganzem Körper die Betonungen ab.   (T. 249)

25. Februar 1912

Ich habe so lange nichts geschrieben, weil ich einen Vortragsabend Löwys¹ im Festsaal des jüdischen Rathauses am 18. 2. 1912 veranstaltet habe, bei dem ich einen kleinen Einleitungsvortrag über Jargon hielt. Zwei Wochen lebte ich in Sorgen, weil ich den Vortrag nicht zustandebringen konnte. Am Abend vor dem Vortrag gelang es mir plötzlich.   (T. 250)

Kafka an Felice   [Prag,] 6. X. 12 [6. November 1912]
Über das Jargontheater habe ich gewiß nicht ironisch gesprochen, vielleicht gelacht, aber das gehört zur Liebe. Ich habe sogar vor

¹ Jizchak Löwy, ein aus Rußland stammender Jargonschauspieler; Freund Kafkas.

17

einer Unzahl von Menschen, wie mir jetzt vorkommt, einen kleinen Einleitungsvortrag gehalten und der Löwy hat dann gespielt, gesungen und recitiert. (F. 77)

Das Urteil
September 1912
Erstdruck: »Arkadia«, Leipzig 1913
Buchausgabe: Leipzig 1916

23. September 1912

Diese Geschichte »Das Urteil« habe ich in der Nacht vom 22. bis 23. von zehn Uhr abends bis sechs Uhr früh in einem Zug geschrieben. Die vom Sitzen steif gewordenen Beine konnte ich kaum unter dem Schreibtisch hervorziehn. Die fürchterliche Anstrengung und Freude, wie sich die Geschichte vor mir entwickelte, wie ich in einem Gewässer vorwärtskam. Mehrmals in dieser Nacht trug ich mein Gewicht auf dem Rücken. Wie alles gesagt werden kann, wie für alle, für die fremdesten Einfälle ein großes Feuer bereitet ist, in dem sie vergehn und auferstehn. Wie es vor dem Fenster blau wurde. Ein Wagen fuhr. Zwei Männer über die Brücke gingen. Um zwei Uhr schaute ich zum letzten Male auf die Uhr. Wie das Dienstmädchen zum ersten Male durchs Vorzimmer ging, schrieb ich den letzten Satz nieder. Auslöschen der Lampe und Tageshelle. Die leichten Herzschmerzen. Die in der Mitte der Nacht vergehende Müdigkeit. Das zitternde Eintreten ins Zimmer der Schwestern. Vorlesung. Vorher das Sichstrecken vor dem Dienstmädchen und Sagen: »Ich habe bis jetzt geschrieben.« Das Aussehn des unberührten Bettes, als sei es jetzt hereingetragen worden. Die bestätigte Überzeugung, daß ich mich mit meinem Romanschreiben in schändlichen Niederungen des Schreibens befinde. *Nur so* kann geschrieben werden, nur in einem solchen Zusammenhang, mit solcher vollständigen Öffnung des Leibes und der Seele. Vormittag im Bett. Die immer klaren Augen. Viele während des Schreibens mitgeführte Gefühle, zum Beispiel die Freude, daß ich etwas Schönes für Maxens »Arkadia« [1] haben werde, Gedanken an Freud natürlich, an einer Stelle an »Arnold Beer« [2], an einer andern an Wassermann, an einer an Werfels »Riesin« [3], natürlich auch an meine »Die städtische Welt« [4].   (T. 293 f.)

                                                    25. September 1912
Gestern bei Baum [5] vorgelesen [. . .] Gegen Schluß fuhr mir meine Hand unregiert und wahrhaftig vor dem Gesicht herum. Ich hatte Tränen in den Augen. Die Zweifellosigkeit der Geschichte bestätigte sich. –   (T. 295)

Gespräch Kafkas mit Max Brod   [Herbst 1912]
»Weißt du, was der Schlußsatz bedeutet? – Ich habe dabei an eine starke Ejakulation gedacht.«   (B. ü. K. 114)

Kafka an Felice   [Prag,] 24. X. 12
Im Frühjahr spätestens erscheint bei Rowohlt in Leipzig ein »Jahrbuch für Dichtkunst« [Arkadia], das Max herausgibt. Darin wird eine kleine Geschichte von mir sein: »Das Urteil«, welche die Widmung haben wird: »für Fräulein Felice B.« Heißt das mit Ihren Rechten allzu herrisch umgegangen? Besonders da diese Widmung schon seit einem Monat auf der Geschichte steht und das Manuskript gar nicht mehr in meinem Besitze ist? Ist es vielleicht eine Entschuldigung, die man gelten lassen kann, daß ich mich bezwungen habe, den Zusatz (für Fräulein Felice B.) »damit sie nicht immer nur von andern Geschenke bekommt« wegzulassen? Im übrigen hat die Geschichte in ihrem Wesen, soweit ich sehen kann, nicht den geringsten Zusammenhang mit Ihnen, außer daß ein darin flüchtig erscheinendes Mädchen Frieda Brandenfeld heißt, also wie ich später merkte, die Anfangsbuchstaben des Namens mit Ihnen

1 »Jahrbuch für Dichtkunst«, herausgegeben von Max Brod und verlegt von Rowohlt in Leipzig.
2 Max Brods Roman »Arnold Beer. Das Schicksal eines Juden«, Berlin [1912].
3 »Die Riesin, Ein Augenblick der Seele«, ein Sketch von Franz Werfel; in »Erzählungen aus zwei Welten«, Stockholm 1948, I. Bd. S. 15.
4 Abgedruckt in Tagebüchern S. 45 ff.
5 Der früh erblindete Prager Schriftsteller Oskar Baum, Freund Kafkas.

gemeinsam hat. Der einzige Zusammenhang besteht vielmehr nur darin, daß die kleine Geschichte versucht, von ferne Ihrer wert zu sein. Und das will auch die Widmung ausdrücken. (F. 53)

Kafka an Felice [Prag,] 24. XI. 12
Das Jahrbuch erscheint frühestens im Feber. Mein Büchel [Betrachtung] erscheint nächsten Monat oder im Jänner. Du bekommst beides natürlich gleich nach dem Erscheinen. (F. 124)

Kafka an Willy Haas[6] [Prag,] 25. XI. 1912
Ich nehme die Einladung der Herdervereinigung natürlich an, es macht mir sogar große Freude vorzulesen. Ich werde die Geschichte aus der »Arkadia« lesen, sie dauert nicht ganz eine $1/2$ Stunde.
(Br. 112)

Kafka an Felice [Prag,] 30. XI. 12
In der Beilage schicke ich Dir eine Einladung zu einer Vorlesung. Ich werde Deine kleine Geschichte vorlesen. Du wirst dort sein, auch wenn Du in Berlin bleibst, glaube mir. Es wird mir ein sonderbares Gefühl sein, mit Deiner Geschichte, also gewissermaßen mit Dir vor einer Gesellschaft zu erscheinen. Die Geschichte ist traurig und peinlich, man wird mein frohes Gesicht während der Vorlesung nicht verstehn. (F. 144)

Kafka an Felice [Prag, 4.–5. Dezember 1912]
Aber Du kennst ja noch gar nicht Deine kleine Geschichte. Sie ist ein wenig wild und sinnlos und hätte sie nicht innere Wahrheit (was sich niemals allgemein feststellen läßt, sondern immer wieder von jedem Leser oder Hörer von neuem zugegeben oder geleugnet werden muß) sie wäre nichts. Auch hat sie, was bei ihrer Kleinheit (17 Schreibmaschinenseiten) schwer vorstellbar ist, eine große Menge von Fehlern und ich weiß gar nicht, wie ich dazu komme, Dir eine solche zumindest sehr zweifelhafte Geburt zu verehren. Aber jeder gibt eben, was er hat, ich die kleine Geschichte mit mir als Anhängsel, Du das ungeheuere Geschenk Deiner Liebe.

6 Schriftsteller, Journalist, Herausgeber der »Literarischen Welt«.

Ach Liebste, wie glücklich bin ich durch Dich; in die eine Träne, die mir am Schluß Deine Geschichte in die Augen trieb, mischten sich auch Tränen dieses Glücks. (F. 156 f.)

Kafka an Felice [Prag,] 6. XII. 12
Sieh mal, glückliches Mädchen, wie man in dem beigelegten Zeitungsausschnitt, trotzdem es doch nur eine private Veranstaltung war, Deine kleine Geschichte öffentlich und übertrieben lobt. Und es ist kein gleichgültiger Mensch, der das geschrieben hat, sondern Paul Wiegler[7]. (F. 162)

11. Februar 1913
Anläßlich der Korrektur des »Urteil« schreibe ich alle Beziehungen auf, die mir in der Geschichte klargeworden sind, soweit ich sie gegenwärtig habe. Es ist dies notwendig, denn die Geschichte ist wie eine regelrechte Geburt mit Schmutz und Schleim bedeckt aus mir herausgekommen und nur ich habe die Hand, die bis zum Körper dringen kann und Lust dazu hat:
Der Freund ist die Verbindung zwischen Vater und Sohn, er ist ihre größte Gemeinsamkeit. Allein bei seinem Fenster sitzend wühlt Georg in diesem Gemeinsamen mit Wollust, glaubt den Vater in sich zu haben und hält alles, bis auf eine flüchtige traurige Nachdenklichkeit für friedlich. Die Entwicklung der Geschichte zeigt nun, wie aus dem Gemeinsamen, dem Freund, der Vater hervorsteigt und sich als Gegensatz Georg gegenüber aufstellt, verstärkt durch andere kleinere Gemeinsamkeiten, nämlich durch die Liebe, Anhänglichkeit der Mutter, durch die treue Erinnerung an sie und durch die Kundschaft, die ja der Vater doch ursprünglich für das Geschäft erworben hat. Georg hat nichts; die Braut, die in der Geschichte nur durch die Beziehung zum Freund, also zum Gemeinsamen, lebt, und die, da eben noch nicht Hochzeit war, in den Blutkreis, der sich um Vater und Sohn zieht, nicht eintreten kann, wird vom Vater leicht vertrieben. Das Gemeinsame ist alles um den Vater aufgetürmt, Georg fühlt es nur als Fremdes, Selbständig-Gewordenes, von ihm niemals genug Beschütztes, russi-

7 Schriftsteller, Kritiker und Übersetzer.

schen Revolutionen Ausgesetztes, und nur weil er selbst nichts mehr hat als den Blick auf den Vater, wirkt das Urteil, das ihm den Vater gänzlich verschließt, so stark auf ihn.

Georg hat so viel Buchstaben wie Franz. In Bendemann ist »mann« nur eine für alle noch unbekannten Möglichkeiten der Geschichte vorgenommene Verstärkung von »Bende«. Bende aber hat ebenso viele Buchstaben wie Kafka und der Vokal e wiederholt sich an den gleichen Stellen wie der Vokal a in Kafka.

Frieda hat ebensoviel Buchstaben wie F. und den gleichen Anfangsbuchstaben, Brandenfeld hat den gleichen Anfangsbuchstaben wie B. und durch das Wort »Feld« auch in der Bedeutung eine gewisse Beziehung. Vielleicht ist sogar der Gedanke an Berlin nicht ohne Einfluß gewesen und die Erinnerung an die Mark Brandenburg hat vielleicht eingewirkt.   (T. 296 f.)

12. Februar 1913

Ich habe bei der Beschreibung des Freundes in der Fremde viel an Steuer [8] gedacht. Als ich nun zufällig, etwa ein Vierteljahr nach dieser Geschichte, mit ihm zusammenkam, erzählte er mir, daß er sich vor etwa einem Vierteljahr verlobt habe.

Nachdem ich die Geschichte gestern bei Weltsch [9] vorgelesen hatte, ging der alte Weltsch hinaus und lobte, als er nach einem Weilchen zurückkam, besonders die bildliche Darstellung in der Geschichte. Mit ausgestreckter Hand sagte er: »Ich sehe diesen Vater vor mir«, und dabei sah er ausschließlich auf den leeren Sessel, in dem er während der Vorlesung gesessen war.

Die Schwester sagte: »Es ist unsere Wohnung.« Ich staunte darüber, wie sie die Örtlichkeit mißverstand und sagte: »Da müßte ja der Vater auf dem Klosett wohnen.«   (T. 297)

Kafka an Felice   [Prag,] vom 13. zum 14. II. 13

Gestern bekam ich den Korrekturbogen Deiner kleinen Geschichte. Wie schön im Titel unsere Namen sich aneinander schließen! Möchtest Du, bis Du die Geschichte lesen wirst, nicht bedauern,

8 Ein Jugendfreund Kafkas.
9 Felix Weltsch, Philosoph, Journalist und Bibliothekar.

Deine Zustimmung zur Nennung Deines Namens (es heißt natürlich nur Felice B.) gegeben zu haben, denn die Geschichte wird niemandem, und solltest Du sie zeigen, wem Du willst, gefallen können. Dein Trost oder eine Art von Trost liegt darin, daß ich Deinen Namen hinzugesetzt hätte, auch wenn Du es mir verboten hättest, denn die Widmung ist zwar ein winziges, zwar ein fragwürdiges, aber ein zweifelloses Zeichen meiner Liebe zu Dir, und diese Liebe lebt nicht von der Erlaubnis, sondern vom Zwang. – Im übrigen hat die Verwahrung noch Zeit, die Herausgabe des Buches hat sich verspätet, es wird wohl noch Monate dauern, ehe es kommt. –

(F. 298)

Kafka an den Verlag Kurt Wolff   [Prag,] 8. III. 12 [1913]
Hier schicke ich postwendend die Korrektur für die »Arkadia« zurück. Ich bin glücklich darüber, daß Sie mir noch die zweite Korrektur geschickt haben, denn auf Seite 61 steht ein schrecklicher Druckfehler: »Braut« statt »Brust«.   (Br. 114)

Kafka an Felice   [Prag, 2. Juni 1913]
Findest Du im »Urteil« irgendeinen Sinn, ich meine irgendeinen geraden, zusammenhängenden, verfolgbaren Sinn? Ich finde ihn nicht und kann auch nichts darin erklären. Aber es ist vieles Merkwürdige daran. Sieh nur die Namen! Es ist zu einer Zeit geschrieben wo ich Dich zwar schon kannte und die Welt durch Dein Dasein an Wert gewachsen war, wo ich Dir aber noch nicht geschrieben hatte. Und nun sieh, Georg hat so viel Buchstaben wie Franz, »Bendemann« besteht aus Bende und Mann, Bende hat so viel Buchstaben wie Kafka und auch die zweite Vokale stehn an gleicher Stelle, »Mann« soll wohl aus Mitleid diesen armen »Bende« für seine Kämpfe stärken. »Frieda« hat so viel Buchstaben wie Felice und auch den gleichen Anfangsbuchstaben, »Friede« und »Glück« liegt auch nah beisammen. »Brandenfeld« hat durch »feld« eine Beziehung zu »Bauer« und den gleichen Anfangsbuchstaben. Und derartiges gibt es noch einiges, das sind natürlich lauter Dinge, die ich erst später herausgefunden habe. Im übrigen ist das Ganze in einer Nacht geschrieben von 11^h bis 6 Uhr früh. Als ich mich zum Schreiben niedersetzte, wollte ich nach einem zum Schreien un-

glücklichen Sonntag (ich hatte mich den ganzen Nachmittag stumm
um die Verwandten meines Schwagers herumgedreht, die damals
zum erstenmal bei uns waren) einen Krieg beschreiben, ein junger
Mann sollte aus seinem Fenster eine Menschenmenge über die
Brücke herankommen sehn, dann aber drehte sich mir alles unter
den Händen. – Noch etwas Wichtiges: Das letzte Wort des vorletzten Satzes soll »hinabfallen«, nicht »hinfallen« sein.   (F. 394)

Kafka an Felice   [Prag,] 10. VI. 13
Das »Urteil« ist nicht zu erklären. Vielleicht zeige ich Dir einmal
paar Tagebuchstellen darüber. Die Geschichte steckt voll Abstraktionen, ohne daß sie zugestanden werden. Der Freund ist kaum eine
wirkliche Person, er ist vielleicht eher das, was dem Vater und
Georg gemeinsam ist. Die Geschichte ist vielleicht ein Rundgang
um Vater und Sohn, und die wechselnde Gestalt des Freundes ist
vielleicht der perspektivische Wechsel der Beziehungen zwischen
Vater und Sohn. Sicher bin ich dessen aber auch nicht.   (F. 396 f.)

Kafka an Felice   [Prag,] 3. VII. 13
Kennt Dein Vater übrigens das »Urteil«? Wenn nicht, dann gib es
ihm bitte zu lesen.   (F. 419)

Kafka an Felice   [Prag,] 5. VIII. 13
Gewiß steckt im »Urteil« auch vieles vom Onkel [10] drin (er ist
Junggeselle, Eisenbahndirektor in Madrid, kennt ganz Europa
außer Rußland), und nun zeigte ich ihm in einem ähnlichen Briefe,
wie Georg seinem Freunde, meine Verlobung an und überdies in
einem Begleitbrief zur »Arkadia«.   (F. 435)

                                             14. August 1913
Folgerungen aus dem »Urteil« für meinen Fall. Ich verdanke die
Geschichte auf Umwegen ihr. Georg geht aber an der Braut zu-
grunde.   (T. 315)

10 Kafkas Onkel Alfred Löwy.

Kafka an Grete Bloch [11]   [Prag, 7. März 1914]
Kennen Sie die beiliegende Geschichte? Es ist ein Sonderabdruck
aus einem Jahrbuch [Arkadia], nehmen Sie sie auf die Reise mit.
Vielleicht gefällt sie Ihnen besser als der Heizer [12].   (F. 514)

Kafka an den Verlag Kurt Wolff   Prag, am 15. Oktober 1915
Was Ihre Vorschläge betrifft, so vertraue ich mich Ihnen vollständig
an. Mein Wunsch wäre es eigentlich gewesen, ein größeres Novellenbuch herauszugeben (etwa die Novelle aus der Arkadia, die
Verwandlung und noch eine andere Novelle [In der Strafkolonie]
unter dem gemeinsamen Titel »Strafen«), auch Herr Wolff hat
schon früher einmal dem zugestimmt, aber es ist wohl bei den
gegenwärtigen Umständen vorläufig besser so, wie Sie es beabsichtigen. Auch mit der Neuausgabe der Betrachtung bin ich ganz
einverstanden.   (Br. 134)

Kafka an Max Brod   [Marienbad, Mitte Juli 1916]
Zu Wolff: ich schreibe also vorläufig nicht. Es ist auch doch gar
nicht so vorteilhaft, zuerst mit einer Sammlung dreier Novellen
aufzutreten, von denen zwei schon gedruckt sind. Besser doch ich
verhalte mich still, bis ich etwas Neues und Ganzes vorlegen kann.
Kann ich es nicht, dann mag ich für immer still bleiben.   (Br. 140)

Kafka an den Verlag Kurt Wolff   Prag, am 28. Juli 1916
Als ich jetzt von einer Reise zurückkam, fand ich Ihr Schreiben vom
10. l. M. sowie die Bücher vor. Für beides danke ich Ihnen bestens.
Hinsichtlich der Herausgabe eines Buches bin ich gleichfalls Ihrer
Meinung, wenn auch die meine erzwungenerweise ein wenig radi-
kaler ist. Ich glaube nämlich, daß es das allein Richtige wäre, wenn
ich mit einer ganzen und neuen Arbeit hervorkommen könnte;
kann ich das aber nicht, so sollte ich vielleicht lieber ganz still sein.
Nun habe ich tatsächlich eine derartige Arbeit gegenwärtig nicht
und fühle mich auch gesundheitlich bei weitem nicht so gut, daß

11 Freundin Felice Bauers und Kafkas, Adressatin zahlreicher
Briefe, die in den Band »Briefe an Felice« aufgenommen wurden.
12 Erstes Kapitel des Romans »Amerika«.

26

ich in meinen sonstigen hiesigen Verhältnissen zu einer solchen Arbeit fähig sein könnte. Ich habe in den letzten 3, 4 Jahren mit mir gewüstet (was die Sache sehr verschlimmert: in allen Ehren) und trage jetzt schwer die Folgen. Sonstiges kommt auch noch hinzu. Ihrem liebenswürdigen Vorschlag, Urlaub zu nehmen und nach Leipzig zu kommen, kann ich augenblicklich aus den verschiedensten Gründen nicht folgen. Vor 4, 3 ja sogar noch vor 2 Jahren hätte ich es, was meine äußern Umstände und meine Gesundheit anlangte, tun können und sollen. Jetzt bleibt mir nur übrig zu warten, bis mir die einzigen Heilmittel, die mir wahrscheinlich noch helfen könnten, zugänglich werden, nämlich: ein wenig Reisen und viel Ruhe und Freiheit.

Vorher kann ich keine größere Arbeit vorlegen und es bleibt also nur die Frage (die ich für meinen Teil verneinen würde), ob es irgendwelchen Nutzen bringen könnte, die Erzählungen »Strafen« (Das Urteil, die Verwandlung, In der Strafkolonie) jetzt zu veröffentlichen. Sind Sie der Meinung, daß eine solche Herausgabe gut wäre, auch wenn in absehbarer Zeit keine größere Arbeit folgen kann, so füge ich mich vollständig Ihrer gewiß besseren Einsicht. (Br. 146 f.)

Kafka an den Verlag Kurt Wolff   Prag, am 14. August 16
Die Herausgabe des »Urteils« und der »Strafkolonie« in einem Bändchen wäre nicht in meinem Sinn; für den Fall ziehe ich das größere Novellenbuch vor. Nun verzichte ich aber auf dieses größere Buch, das mir übrigens Herr Wolff schon zur Zeit des »Heizer« zugesagt hat, sehr gern, bitte aber dafür um die Gefälligkeit, daß das »Urteil« in ein besonderes Bändchen kommt. »Das Urteil«, an dem mir eben besonders gelegen ist, ist zwar sehr klein, aber es ist auch mehr Gedicht als Erzählung, es braucht freien Raum um sich und es ist auch nicht unwert ihn zu bekommen. (Br. 148)

Kafka an den Verlag Kurt Wolff   Prag, am 19. August 16
Entsprechend Ihrem freundlichen Schreiben vom 15. l. M. stelle ich zusammen, was mich zu meiner Bitte nach Einzelabdruck des »Urteil« und der »Strafkolonie« geführt hat:

Zunächst war überhaupt nicht von der Veröffentlichung im »Jüngsten Tag« [13] die Rede, sondern von einem Novellenband »Strafen« (Urteil – Verwandlung – Strafkolonie), dessen Herausgabe mir Herr Wolff schon vor langer Zeit in Aussicht gestellt hat. Diese Geschichten geben eine gewisse Einheit, auch wäre natürlich ein Novellenband eine ansehnlichere Veröffentlichung gewesen, als die Hefte des »Jüngsten Tag«, trotzdem wollte ich sehr gerne auf den Band verzichten, wenn mir die Möglichkeit erschien, daß das »Urteil« in einem besonderen Heft herausgegeben werden könnte.

Ob »Urteil« und »Strafkolonie« gemeinsam in einem Jüngstentag-Bändchen erscheinen sollen, steht wohl nicht eigentlich in Frage, denn die »Strafkolonie« reicht gewiß, auch nach der in Ihrem Schreiben vorgenommenen Bemessung, für ein Einzelbändchen reichlich aus. Hinzufügen möchte ich nur, daß »Urteil« und »Strafkolonie« nach meinem Gefühl eine abscheuliche Verbindung ergeben würden; »Verwandlung« könnte immerhin zwischen ihnen vermitteln; ohne sie aber hieße es wirklich zwei fremde Köpfe mit Gewalt gegen einander schlagen.

Insbesondere für den Sonderabdruck des »Urteil« spricht bei mir folgendes: Die Erzählung ist mehr gedichtmäßig als episch, deshalb braucht sie ganz freien Raum um sich, wenn sie sich auswirken soll. Sie ist auch die mir liebste Arbeit und es war daher immer mein Wunsch, daß sie, wenn möglich, einmal selbständig zur Geltung komme. Jetzt da von dem Novellenband abgesehen wird, wäre dafür die beste Gelegenheit. Nebenbei erwähnt bekomme ich dadurch, daß die »Strafkolonie« nicht gleich jetzt im »Jüngsten Tag« erscheint, die Möglichkeit, sie den »Weißen Blättern« [14] anzubieten. Es ist das aber wirklich nur nebenbei erwähnt, denn die Hauptsache bleibt für mich, daß das »Urteil« besonders erscheint.

Die buchtechnischen Schwierigkeiten dessen sollten unüberwindlich sein? Ich gebe zu, daß ein Monumentaldruck nicht sehr passend

13 »Der jüngste Tag«, eine vom Verlag Kurt Wolff herausgegebene Schriftenreihe junger Autoren.
14 »Weiße Blätter«, Monatsschrift in der im Oktober 1915 die »Verwandlung« erschien.

wäre, aber erstens ergeben sich schon im Fledermausdruck[15] 30 Seiten und zweitens enthalten bei weitem nicht alle Jüngste-Tag-Bändchen 32 bedruckte Seiten, Aisse[16] z. B. hat deren nur 26 und andere Bändchen, die ich gerade nicht zur Hand habe, wie Hasenclever[17] und Hardekopf[18] bestehen gar nur aus wenigen Blättern. Ich glaube also, daß mir der Verlag die Gefälligkeit des Einzelabdrucks – ich würde es durchaus als Gefälligkeit ansehen – wohl machen könnte. (Br. 148 f.)

Kafka an Felice   [Prag,] 22. Sept. 16
Nächstens erscheint Deine alte Geschichte. Ich habe die veraltete Widmung[19] ersetzt durch: »Für F.« Ist es Dir recht?   (F. 704)

Gespräch Kafkas mit Gustav Janouch[20]   [1920–23]
Gespräche über seine Bücher waren immer sehr kurz.
»Ich habe *Das Urteil* gelesen.«
»Hat es Ihnen gefallen?«
»Gefallen? Das Buch ist schrecklich!«
»Das ist richtig.«
»Ich möchte wissen, wie Sie dazu kamen. Die Widmung ›Für F.‹ ist sicherlich nicht nur eine Formalität. Bestimmt wollten Sie mit dem Buche jemandem etwas sagen. Ich möchte gerne den Zusammenhang kennen.«
Kafka lächelte verlegen.
»Ich bin unverschämt. Verzeihen Sie.«
»Sie müssen sich nicht entschuldigen. Der Mensch liest, um zu fragen. *Das Urteil* ist das Gespenst einer Nacht.«
»Wieso?«
»Es ist ein Gespenst«, wiederholte er mit hartem Blick in die Ferne.

15 Bezieht sich auf den Band »Fledermäuse. Sieben Erzählungen« von Gustav Meyrink, Leipzig 1915.
16 »Aissé«, Erzählung von René Schickele. Leipzig 1915.
17 Walter Hasenclever, expressionistischer Lyriker und Dramatiker.
18 Ferdinand Hardekopf, expressionistischer Lyriker und Essayist.
19 »Für Fräulein Felice B«
20 Tschechischer Schriftsteller. Bekannt mit Kafka seit 1920.

»Sie haben es doch geschrieben.«
»Das ist nur die Feststellung und dadurch vollbrachte Abwehr des Gespenstes.«   (J. 54 f.)

Kafka an Milena [21]   [1920–23]
Die Übersetzung des Schlußsatzes ist sehr gut. In jener Geschichte hängt jeder Satz, jedes Wort, jede – wenn's erlaubt ist – Musik mit der »Angst« zusammen, damals brach die Wunde zum erstenmal auf in einer langen Nacht und diesen Zusammenhang trifft die Übersetzung für mein Gefühl genau, mit jener zauberhaften Hand, die eben Deine ist.   (M. 214)

[21] Milena Jesenská, Adressatin von Kafkas »Briefen an Milena«, tschechische Schriftstellerin, Übersetzerin einiger Werke Kafkas.

Amerika
Anfang 1912 – Anfang 1913,
hauptsächlich Oktober/November 1912

Der unter diesem Titel postum veröffentlichte Roman wurde von Kafka manchmal als ›Der Verschollene‹ bezeichnet. Das erste Kapitel veröffentlichte Kafka selbst unter dem Titel ›Der Heizer – Ein Fragment‹ (Leipzig 1913).
Buchausgabe: München 1927

9. Mai 1912
Wie ich mich gegen alle Unruhe an meinem Roman festhalte, ganz wie eine Denkmalsfigur, die in die Ferne schaut und sich am Block festhält. (T. 277)

6. Juni 1912
Jetzt lese ich in Flauberts Briefen: »Mein Roman ist der Felsen, an dem ich hänge, und ich weiß nichts von dem, was in der Welt vorgeht.« – Ähnlich wie ich es für mich am 9. Mai eingetragen habe.
(T. 280)

Kafka an Max Brod   Jungborn, den 10. Juli 1912
Der Roman ist so groß, wie über den ganzen Himmel hin entworfen (auch so farblos und unbestimmt wie heute) und ich verfitze mich beim ersten Satz, den ich schreiben will. Daß ich mich durch die Trostlosigkeit des schon Geschriebenen nicht abschrecken lassen darf, das habe ich schon herausgebracht und habe von dieser Erfahrung gestern viel Nutzen gehabt. (Br. 96)

Kafka an Max Brod   [Jungborn,] 22. VII. 1912
Ich schreibe auch hier, sehr wenig allerdings, klage für mich und freue mich auch; so beten fromme Frauen zu Gott, in den biblischen Geschichten wird aber der Gott anders gefunden. Daß ich Dir das, was ich jetzt schreibe, noch lange nicht zeigen kann, mußt Du, Max, begreifen, und wäre es nur mir zu Liebe. Es ist in kleinen Stücken mehr aneinander als ineinander gearbeitet, wird lange geradeaus gehn, ehe es sich zum noch so sehr erwünschten Kreise

31

wendet, und dann in jenem Augenblicke, dem ich entgegenarbeite, wird nicht etwa alles leichter werden, es ist vielmehr wahrscheinlich, daß ich, der ich bis dahin unsicher gewesen bin, dann den Kopf verliere. Deshalb wird es erst nach Beendigung der ersten Fassung etwas sein, wovon man reden kann. (Br. 100)

Kafka an Max Brod [Prag, Herbst 1912]
Lieber Max, hier schicke ich Dir das zweite Kapitel ohne mich. Es war die einzige gute Stunde, die ich seit Samstag damit verbracht habe. Ich kann deshalb nicht kommen, weil meinem Vater nicht gut ist und er will, daß ich bei ihm bleibe. (Br. 106)

Kafka an Max Brod [Prag, 8. Oktober 1912]
Ich bin lange am Fenster gestanden und habe mich gegen die Scheibe gedrückt und es hätte mir öfters gepaßt, den Mauteinnehmer auf der Brücke durch meinen Sturz aufzuschrecken. Aber ich habe mich doch die ganze Zeit über zu fest gefühlt, als daß mir der Entschluß, mich auf dem Pflaster zu zerschlagen, in die richtige entscheidende Tiefe hätte dringen können. Es schien mir auch, daß das Amlebenbleiben mein Schreiben – selbst wenn man nur, nur vom Unterbrechen spricht – weniger unterbricht als der Tod, und daß ich zwischen dem Anfang des Romans und seiner Fortsetzung in vierzehn Tagen mich irgendwie gerade in der Fabrik, gerade gegenüber meinen zufriedengestellten Eltern im Innersten meines Romans bewegen und darin leben werde. (Br. 109)

Kafka an Felice [Prag,] 1. XI. 12
Wie Sie nun aber auch mit meinem Schreiben verschwistert sind, trotzdem ich bis dahin glaubte, gerade während des Schreibens nicht im geringsten an Sie zu denken, habe ich letzthin staunend gesehen. In einem kleinen Absatz, den ich geschrieben hatte, fanden sich unter anderem folgende Beziehungen zu Ihnen und zu Ihren Briefen: Jemand bekam eine Tafel Chokolade geschenkt. Es wurde von kleinen Abwechslungen gesprochen, die jemand während seines Dienstes hatte. Weiterhin gab es einen telephonischen Anruf. Und schließlich drängte jemand einen andern schlafen zu gehn und drohte ihm, ihn, wenn er nicht folgen werde, bis auf sein Zimmer

zu führen, was sicher nur eine Erinnerung an den Ärger war, den Ihre Mutter hatte, als Sie so lange im Bureau blieben [1]. – Solche Stellen sind mir besonders lieb, ich halte Sie darin, ohne daß Sie es fühlen und ohne daß Sie sich also wehren müßten. Und selbst wenn Sie einmal etwas Derartiges lesen sollten, werden Ihnen diese Kleinigkeiten bestimmt entgehn. Das dürfen Sie aber glauben, daß Sie vielleicht nirgends auf der Welt mit größerer Sorglosigkeit sich fangen lassen dürften als hier. (F. 66)

Kafka an Felice   [Prag,] 11. XI. 12
Und nicht nur deshalb werde ich Ihnen von jetzt ab nur kurze Briefe schreiben (dafür sonntags allerdings immer einen mit Wolllust ungeheueren Brief) sondern auch deshalb, weil ich mich bis zum letzten Atemzug für meinen Roman aufbrauchen will, der ja auch Ihnen gehört oder besser eine klarere Vorstellung von dem Guten in mir Ihnen geben soll als es die bloß hinweisenden Worte der längsten Briefe des längsten Lebens könnten. Die Geschichte, die ich schreibe, und die allerdings ins Endlose angelegt ist, heißt, um Ihnen einen vorläufigen Begriff zu geben »Der Verschollene« und handelt ausschließlich in den Vereinigten Staaten von Nordamerika. Vorläufig sind 5 Kapitel fertig, das 6te fast. Die einzelnen Kapitel heißen: I Der Heizer II Der Onkel III Ein Landhaus bei New York IV Der Marsch nach Ramses V Im Hotel Occidental VI Der Fall Robinson. – Ich habe diese Titel genannt, als ob man sich etwas dabei vorstellen könnte, das geht natürlich nicht, aber ich will die Titel solange bei Ihnen aufheben, bis es möglich sein wird. Es ist die erste größere Arbeit, in der ich mich nach 15jähriger, bis auf Augenblicke trostloser Plage seit 1 1/2 Monaten geborgen fühle. Die muß also fertig werden, das meinen Sie wohl auch und so will ich unter Ihrem Segen die kleine Zeit, die ich nur zu ungenauen, schrecklich lückenhaften, unvorsichtigen, gefährlichen Briefen an Sie verwenden könnte, zu jener Arbeit hinüberleiten, wo sich alles, wenigstens bis jetzt, von wo es auch gekommen ist, beruhigt und den richtigen Weg genommen hat. Sind Sie damit einverstanden?

1 Vgl. den vorletzten Absatz des Kapitels »Hotel Occidental«.

Und wollen Sie mich also nicht meinem trotz alledem schrecklichen Alleinsein überlassen? (F. 86 f.)

Kafka an Max Brod [Prag,] 13. XI. 12

Ich will Dir nun sagen, Sonntag lese ich bei Baum nicht vor. Vorläufig ist der ganze Roman unsicher. Ich habe gestern das sechste Kapitel mit Gewalt, und deshalb roh und schlecht beendet: zwei Figuren, die noch darin hätten vorkommen sollen, habe ich unterdrückt. Die ganze Zeit, während der ich geschrieben habe, sind sie hinter mir her gelaufen, und da sie im Roman selbst die Arme hätten heben und die Fäuste ballen sollen, haben sie das gleiche gegen mich getan. Sie waren immerfort lebendiger als das, was ich schrieb. Nun schreibe ich heute außerdem nicht, nicht weil ich nicht will, sondern weil ich wieder einmal zu hohläugig herumschau [...] Um meiner sonstigen Quälerei aus Eigenem noch nachzuhelfen, habe ich dieses dritte Kapitel ein wenig durchgelesen und gesehen, daß da ganz andere Kräfte nötig sind, als ich sie habe, um dieses Zeug aus dem Dreck zu ziehen. Und selbst diese Kräfte würden nicht hinreichen, um sich zu überwinden, das Kapitel im gegenwärtigen Zustand Euch vorzulesen. Überspringen kann ich es natürlich auch nicht, und so bleibt Dir nur übrig, die Zurücknahme meines Versprechens mit zweierlei Gutem zu vergelten. Erstens, mir nicht bös zu sein, und zweitens, selbst vorzulesen. (Br. 111)

Kafka an Felice [Prag,] 27. XI. 12

Du fragst nach meinen Weihnachtsferien. [...] Nun war ich aber fest entschlossen, diese Zeit nur für meinen Roman zu verwenden, vielleicht gar für den Abschluß des Romans. Heute, wo der Roman nun schon über eine Woche ruht und die neue Geschichte [Verwandlung] zwar zu Ende geht, mich aber seit zwei Tagen glauben machen will, daß ich mich verrannt habe – müßte ich eigentlich noch fester an jenem Entschluß mich halten. [...] Sieh, ich war entschlossen, mich vor Beendigung des Romans nicht vor andern Menschen zu zeigen, aber ich frage mich, *heute abend allerdings nur,* würde ich nach der Beendigung vor Dir, Liebste, etwa besser oder weniger schlecht bestehen als vorher. Und ist es nicht wichtiger, als der Schreibwut die Freiheit von 6 fortlaufenden Tagen und Nächten zu geben, meine armen Augen endlich mit Deinem Anblick zu sättigen? Antworte Du, ich sage für mich ein großes »Ja«.

(F. 135 f.)

Kafka an Felice   [Prag,] 28. XI. 12
Ich habe im Laufe vieler Jahre nur vor zwei, drei Monaten einmal geweint, da hat es mich allerdings in meinem Lehnsessel geschüttelt, zweimal kurz hintereinander, ich fürchtete, mit meinem nicht zu bändigenden Schluchzen die Eltern nebenan zu wecken, es war in der Nacht und die Ursache war eine Stelle meines Romans. (F. 136)

[Prag,] Nacht vom 6. zum 7. XII. 12
Kafka an Felice [vermutlich in der Nacht vom 7.–8. Dezember 1912]
[. . .] endlich bringt mich die Leitmeritzer Reise wahrscheinlich trotz teufelsmäßiger Eile um eine Arbeitsnacht und der kaum aufgenommene Roman müßte dann wieder weggelegt werden – kurz es gibt einige Gründe dafür, daß ich ihn heute nicht fortgesetzt habe.

(F. 165)

[Prag,] Sonntag 7. XII. 12
Kafka an Felice   [8. Dezember 1912]
Jetzt werde ich also spazierengehn, was ich im eigentlichen Sinn schon seit paar Tagen nicht getan habe, werde dann um 6 Uhr mich schlafen legen und wenn es geht, bis 1 oder 2 Uhr nachts schlafen. Vielleicht werde ich dann den Roman wieder in Griff bekommen und dann bequem bis 5 Uhr früh schreiben, länger nicht, denn um ¾ 6 Uhr früh geht mein Zug.   (F. 168)

Kafka an Felice   [Prag, 12.–13. Dezember 1912]
Ach Liebste, wie gut habe ich es doch schließlich, daß ich jetzt, nachdem ich über eine mir etwas fremde Stelle des Romans zur Not hinweggekommen bin (er will mir noch immer nicht folgen, ich halte ihn, aber er wehrt sich mir unter der Hand und ich muß ihn immer wieder über ganze Stellen hinweg loslassen), an Dich schreiben darf, die Du soviel gütiger zu mir bist als mein Roman. (F. 178)

Kafka an Felice   [Prag,] Nacht vom 13. zum 14. XII. 12
Mein Roman geht ja wenn auch langsam vorwärts, nur ist sein Gesicht dem meinen schrecklich gleich.   (F. 179)

35

Kafka an Felice   [Prag,] vom 14. zum 15. 12
Liebste, heute bin ich zu müde und auch zu unzufrieden mit meiner
Arbeit (wenn ich genug Kraft hätte, meiner innersten Absicht zu
folgen, würde ich alles, was ich vom Roman fertig habe, zusam-
mendrücken und aus dem Fenster werfen) um mehr als paar Worte
zu schreiben [...]   (F. 180 f.)

Kafka an Felice   [Prag,] vom 16. zum 17. XII. 12
Liebste, es ist ½ 4 nachts, ich habe mich zu lange und doch zu kurz
bei meinem Roman aufgehalten und habe überdies fast Bedenken,
jetzt zu Dir zurückzukehren, denn ich habe förmlich die Finger
noch schmutzig von einer widerlichen, mit besonderer (für die Ge-
staltung leider übergroßen) Natürlichkeit aus mir fließenden Szene.
                                                         (F. 186)

Kafka an Felice   [Prag,] Nacht vom 17. zum 18. XII. 12
Mein liebstes Mädchen, das ganze heutige Schreiben an meinem
Roman war nichts anderes als unterdrückte Lust, Dir zu schreiben,
und nun bin ich auf beiden Seiten gestraft, das dort Geschriebene
ist recht elend (um nicht immerfort zu klagen, gestern war eine
schöne Nacht, ich hätte sie ins Unendliche fortsetzen können und
sollen) und für Dich, Liebste, bin ich von dorther verärgert und
ganz und gar unwürdig.   (F. 187)

Kafka an Felice   [Prag,] vom 25. zum 26. XII. 12
Der Roman ist ein wenig wieder vorwärtsgeschoben, ich halte mich
an ihn, da mich die Geschichte 2 abgewiesen hat. Ich habe jene Geschichte auch unter zu großen Ansprüchen an mich angefangen;
gleich im Anfang sollen vier Personen reden und sich kräftig an
allem beteiligen. So viele Menschen kann ich aber nur dann vollständig sehn, wenn sie sich im Laufe, aus dem Strome der Geschichte
erheben und sich entwickeln. Gleich am Anfang habe ich leider nur
zwei beherrscht und wenn nun vier Personen drängen und auftreten
wollen, man aber nur den Blick für zwei hat, entsteht eine traurige,
förmlich gesellschaftliche Verlegenheit. Die zwei wollen und wollen

2 Es ist nicht bekannt, um welche Geschichte es sich hier handelt.

36

sich nicht demaskieren. Dadurch aber, daß mein Blick herumirrt, erhascht er vielleicht auch Schatten von diesen zweien, dafür fangen aber die zwei festen Gestalten in ihrer zeitweiligen Verlassenheit unsicher zu werden an und schließlich schlägt alles zusammen. Schade!

[. . .]

Hätte ich Dir doch, statt am Roman zu schreiben, geschrieben, wie ich so sehr wollte. (F. 207 f.)

Kafka an Felice   [Prag,] vom 28. zum 29. XII. 12

Mein liebstes Kind, in meinem Roman gehn eben sehr belehrende Dinge vor. Hast Du schon einmal die Demonstrationen gesehen, welche in amerikanischen Städten am Vorabend der Wahl eines Bezirksrichters stattfinden? Gewiß ebensowenig wie ich, aber in meinem Roman sind diese Demonstrationen eben im Gange [2a].

(F. 213)

Kafka an Felice   [Prag,] Nacht vom 30. zum 31. XII. 12

Wo wirst Du Sylvester sein? [. . .] Ich wollte bei meinem Schreibtisch bleiben und den Roman weitertreiben (der heute noch an der gestrigen Unterbrechung leidet), nun bin ich aber eingeladen worden, zu Leuten, die ich gut leiden kann (die Familie des Onkels jenes Dr. Weltsch), und so zweifle ich, was ich tun soll; schließlich werde ich ja doch zuhause bleiben [. . .] (F. 222)

Kafka an Felice   [Prag,] vom 31. XII. 12 zum 1. I. 1913

Aber was lauft mir denn da alles durch den Kopf, der übrigens heute gegen meinen armen Roman ganz und gar verschlossen war. Das macht die 13 in der neuen Jahreszahl. (F. 224)

Kafka an Felice   [Prag,] vom 2. zum 3. I. 1913

Liebste, ich bitte Dich jedenfalls mit aufgehobenen Händen, sei nicht auf meinen Roman eifersüchtig. Wenn die Leute im Roman Deine Eifersucht merken, laufen sie mir weg, ich halte sie ja sowieso nur an den Zipfeln ihrer Kleidung fest. Und bedenke, wenn sie mir

2a Vergleiche A. 278 ff., T. 279 und F. 213 Anm.

weglaufen, ich müßte ihnen nachlaufen und wenn es bis in die Unterwelt wäre, wo sie ja eigentlich zuhause sind. Der Roman bin ich, meine Geschichten sind ich, wo wäre da, ich bitte Dich, der geringste Platz für Eifersucht. Alle meine Menschen laufen ja, wenn alles sonst in Ordnung ist, Arm in Arm auf Dich zu, um letzten Endes Dir zu dienen. Gewiß würde ich mich auch in Deiner Gegenwart vom Roman nicht losmachen, es wäre arg, wenn ich es könnte, denn durch mein Schreiben halte ich mich ja am Leben, halte mich an jenem Boot, auf dem Du, Felice, stehst[3]. Traurig genug, daß es mir nicht recht gelingen will, mich hinaufzuschwingen. Aber begreife nur, liebste Felice, daß ich Dich und alles verlieren muß, wenn ich einmal das Schreiben verliere. (F. 226 f.)

Kafka an Felice [Prag,] vom 3. zum 4. I. 1913
Und nun? Nun stehe ich in der Nacht auf der Gasse einer amerikanischen Stadt und gieße unbekannte Getränke in mich hinein wie in ein Faß[4]. (F. 228)

Kafka an Felice [Prag,] vom 5. zum 6. I. 1913
Arme, arme Liebste, möchtest Du Dich doch nie gezwungen fühlen, diesen elenden Roman zu lesen, den ich da stumpf zusammenschreibe. Schrecklich ist es, wie er sein Aussehn ändern kann; liegt die Last auf (mit welchem Schwung ich schreibe! Wie die Kleckse fliegen!) dem Wagen oben, dann ist mir wohl, ich entzücke mich am Peitschenknallen und bin ein großer Herr; fällt sie mir aber vom Wagen herunter (und das ist nicht vorauszusehn, nicht zu verhindern, nicht zu verschweigen) wie gestern und heute, scheint sie unmäßig schwer für meine kläglichen Schultern, dann möchte ich am liebsten alles lassen und mir an Ort und Stelle ein Grab graben. Schließlich kann es keinen schönern, der vollkommenen Verzweiflung würdigern Ort für das Sterben geben als einen eigenen Roman. Gerade unterhalten sich zwei seit gestern recht matt gewordene Personen auf zwei benachbarten Balkonen im 8ten Stockwerk um

3 Bezieht sich auf eine Photographie Felicens, die Kafka in einem Brief (3. XII. 12) an sie beschreibt. (F. 149 f.)
4 Vgl. S. 284 des Romans.

3 Uhr in der Nacht⁵. Wie wäre es, wenn ich ihnen von der Gasse
aus ein »Adieu« zuriefe und sie gänzlich verließe. Sie würden dort
auf ihren Balkonen zusammensinken und mit Leichengesichtern
durch die Geländerstangen einander ansehn. Aber ich drohe nur,
Liebste, ich tue es ja doch nicht. Wenn – kein Wenn, ich verirre
mich wieder einmal.   (F. 231)

Kafka an Felice   [Prag,] vom 15. zum 16. I. 13
Zwei Abende hintereinander gut zu schreiben ist mir schon lange
nicht gelungen. Was für eine unregelmäßig geschriebene Masse das
sein wird, dieser Roman! Was für eine schwere Arbeit, vielleicht
eine unmögliche das sein wird, nach der ersten Beendigung in die
toten Partien auch nur ein halbes Leben zu bringen! Und wie viel
Unrichtiges wird stehen bleiben müssen, weil dafür keine Hilfe aus
der Tiefe kommt.   (F. 251)

Kafka an Felice   [Prag,] vom 22. zum 23. I. 13
An meinem Roman schreibe ich seit 3 Tagen ganz wenig, und das
wenige mit Fähigkeiten, die vielleicht gerade zum Holzhacken ge-
nügen würden, aber nicht einmal zum Holzhacken, höchstens zum
Kartenspielen. Nun, ich habe mich eben in letzter Zeit (das ist kein
Selbstvorwurf, sondern nur Selbsttrost) an den Füßen aus dem
Schreiben herausgezogen und muß mich nun wieder mit dem Kopf
einbohren.   (F. 264)

Kafka an Felice   [Prag,] Sonntag, 26. I. 13
Mein Roman! Ich erklärte mich vorgestern abend vollständig von
ihm besiegt. Er läuft mir auseinander, ich kann ihn nicht mehr um-
fassen, ich schreibe wohl nichts, was ganz außer Zusammenhang
mit mir wäre, es hat sich aber in der letzten Zeit doch allzusehr gelockert, Falschheiten erscheinen und wollen nicht verschwinden, die
Sache kommt in größere Gefahr, wenn ich an ihr weiterarbeite, als
wenn ich sie vorläufig lasse. Außerdem schlafe ich seit einer Woche,
wie wenn ich auf Wachposten wäre, alle Augenblicke schreckt es
mich auf. Die Kopfschmerzen sind zu einer regelmäßigen Einrich-

5 Vgl. S. 293 ff. des Romans.

tung geworden, und kleinere, wechselnde Nervositäten hören auch nicht auf, an mir zu arbeiten: Kurz, ich höre gänzlich mit dem Schreiben auf und werde vorläufig nur eine Woche, tatsächlich vielleicht viel länger, nichts als ruhn. Gestern abend habe ich nicht mehr geschrieben, und schon habe ich unvergleichlich gut geschlafen. (F. 271)

Kafka an Felice [Prag,] vom 1. zum 2. II. 1913
Immerhin blieb ich in der schönsten Mannigfaltigkeit von Schlaf, Dusel, Träumerei und zweifellosem Wachsein bis jetzt im Bett und bin nur aufgestanden, um Dir, Liebste, zu schreiben und mir einiges für den Roman zu notieren, das mich mit Macht im Bett angefallen hat, trotzdem ich solche vereinzelte Erleuchtungen künftiger Ereignisse mehr fürchte als verlange. (F. 280)

Kafka an Felice [Prag,] vom 9. zum 10. II. 13
Ich las also meiner Schwester (meine Eltern waren heute bei Verwandten in Kolin und kamen erst jetzt, auch die Begrüßung hat mich aufgehalten) etwas aus meiner guten Zeit vor [6], vielleicht das Beste, was ich gemacht habe, sie kannte es noch nicht, es stammt, glaube ich, aus der Zeit, als ich auf Deinen zweiten Brief wartete. Ich bin ganz heiß vom Lesen geworden und wenn ich nachmittag mich nicht auf den Landstraßen herumgetrieben hätte, wer weiß, ich setzte mich vielleicht zum Schreiben nieder und schriebe etwas Ordentliches, das mich aus der Vertiefung, in die ich merklich versinke, mit einem Mal in die Höhe reißen könnte. So aber werde ich nichts dergleichen tun, sondern schlafen gehn, so wie ich bin, und gewiß noch lange nichts schreiben und mir, Dir und der Welt eine Plage sein. (F. 291)

Kafka an Felice [Prag,] vom 28. [Februar] zum I. III. [1913]
Letzthin ging ich durch die Eisengasse, da sagt jemand neben mir: »Was macht Karl?« Ich drehe mich um; ich sehe einen Mann, der ohne sich um mich zu kümmern im Selbstgespräch weitergeht und auch diese Frage im Selbstgespräch gestellt hatte. Nun heißt aber

6 Wahrscheinlich das erste Kapitel »Der Heizer«.

Karl die Hauptperson in meinem unglücklichen Roman und jener harmlose vorübergehende Mann hatte unbewußt die Aufgabe mich auszulachen, denn für eine Aufmunterung kann ich das wohl nicht halten. (F. 319)

Kafka an Felice   [Prag,] vom 9. zum 10. III. 13
[. . .] und so nahm ich, weil gerade die Hefte mit meinem Roman vor mir lagen (durch irgendeinen Zufall waren die solange unbenutzten Hefte in die Höhe gekommen), diese Hefte vor, las zuerst mit gleichgültigem Vertrauen, als wüßte ich aus der Erinnerung genau die Reihenfolge des Guten, Halbguten und Schlechten darin, wurde aber immer erstaunter und kam endlich zu der unwiderlegbaren Überzeugung, daß als Ganzes nur das erste Kapitel aus innerer Wahrheit herkommt, während alles andere, mit Ausnahme einzelner kleinerer und größerer Stellen natürlich, gleichsam in Erinnerung an ein großes aber durchaus abwesendes Gefühl hingeschrieben und daher zu verwerfen ist, d. h. von etwa 400 großen Heftseiten nur 56 (glaube ich) übrig bleiben. Rechnet man zu den 350 Seiten noch die etwa 200 einer gänzlich unbrauchbaren im vorigen Winter und Frühjahr geschriebenen Fassung der Geschichte, dann habe ich für diese Geschichte 550 nutzlose Seiten geschrieben. (F. 332)

Kafka an Kurt Wolff   [Prag,] 4. IV. 13
Natürlich ist es mir auch beim besten Willen unmöglich, bis Sonntag die Manuscripte in Ihre Hände kommen zu lassen, wenn ich es auch viel leichter ertragen würde eine unfertige Sache wegzugeben, als auch nur den Anschein aufkommen zu lassen, daß ich Ihnen nicht gefällig sein will. Ich sehe zwar nicht ein, auf welche Weise und in welchem Sinn diese Manuscripte eine Gefälligkeit bedeuten könnten; um so eher sollte ich sie eben schicken. Das erste Kapitel des Romans werde ich auch tatsächlich gleich schicken, da es von früher her zum größten Teil schon abgeschrieben ist; Montag oder Dienstag ist es in Leipzig. Ob es selbständig veröffentlicht werden kann, weiß ich nicht; man sieht ihm zwar die 500 nächsten und vollständig mißlungenen Seiten nicht gerade an, immerhin ist es wohl doch nicht genug abgeschlossen; es ist ein Fragment und wird

es bleiben, diese Zukunft gibt dem Kapitel die meiste Abgeschlossenheit. Die andere Geschichte, die ich habe, »die Verwandlung«, ist allerdings noch gar nicht abgeschrieben, denn in der letzten Zeit hielt mich alles von der Litteratur und von der Lust an ihr ab. Aber auch diese Geschichte werde ich abschreiben lassen und frühestens schicken. Für späterhin würden vielleicht diese zwei Stücke und »das Urteil« aus der Arkadia[7] ein ganz gutes Buch ergeben, das »die Söhne« heißen könnte. (Br. 115)

Kafka an Kurt Wolff   [Prag,] 11. IV. 13
Meinen besten Dank für Ihren freundlichen Brief, mit den Bedingungen für die Aufnahme des »Heizers« in den »Jüngsten Tag« bin ich vollständig und sehr gerne einverstanden. Nur eine Bitte habe ich, die ich übrigens schon in meinem letzten Briefe ausgesprochen habe. »Der Heizer«, »die Verwandlung« (die $1^1/_2$ mal so groß wie der Heizer ist) und das »Urteil« gehören äußerlich und innerlich zusammen, es besteht zwischen ihnen eine offenbare und noch mehr eine geheime Verbindung, auf deren Darstellung durch Zusammenfassung in einem etwa »Die Söhne« betitelten Buch ich nicht verzichten möchte. Wäre es nun möglich, daß »der Heizer« abgesehen von der Veröffentlichung im »Jüngsten Tag« später in einer beliebigen, ganz in Ihr Gutdünken gestellten, aber absehbaren Zeit mit den andern zwei Geschichten verbunden in ein eigenes Buch aufgenommen wird und wäre es möglich eine Formulierung dieses Versprechens in den jetzigen Vertrag über den »Heizer« aufzunehmen? Mir liegt eben an der Einheit der drei Geschichten nicht weniger als an der Einheit einer von ihnen. (Br. 116)

Kafka an Kurt Wolff   [Prag,] 24. IV. 13
Beiliegend schicke ich die Korrekturbogen des »Heizers« zurück und bitte nur, auf jeden Fall mir eine zweite Revision zu schicken. Es sind, wie Sie sehen, so viele wenn auch nur kleine Korrekturen notwendig geworden, daß diese Revision unmöglich genügen kann. Ich werde aber die zweite Revision, wann immer ich sie bekomme,

---

7 »Arkadia«. Ein Jahrbuch für Dichtkunst. Hg. von Max Brod, Leipzig, Kurt Wolff 1913.

umgehend zurückschicken. Könnte ich dann nicht auch das innere Titelblatt zu sehen bekommen? Es würde mir sehr viel daran liegen, daß wenigstens auf dem inneren Titel, wenn es nur irgendwie angeht, unter dem Titel »Der Heizer« der Untertitel »Ein Fragment« steht. (Br. 117)

Kafka an Felice   [Prag,] 1. V. 13
Schreiben sollte ich, sagt mein innerster Arzt. Schreiben, trotzdem mein Kopf so unsicher ist und trotzdem ich vor einem Weilchen die Unzulänglichkeiten meines Schreibens zu erkennen Gelegenheit hatte. Ja, ich habe Dir noch gar nicht geschrieben, daß nächsten Monat ein ganz kleines Buch (es hat 47 Seiten) von mir erscheinen wird, eben habe ich hier die zweite Revision. Es ist das erste Kapitel des unglücklichen Romans und heißt »Der Heizer. Ein Fragment«. Es erscheint in einer billigen Bücherei, die Wolff herausgibt und die ein wenig komisch »Der jüngste Tag« heißen wird, das Bändchen zu 80 Pfennig. Das Ganze gefällt mir nicht sehr, wie jedes nutzlose künstliche Herstellen einer Einheit, die nicht da ist. Aber erstens bin ich Wolff doch verpflichtet, zweitens hat er mir die Geschichte ein wenig herausgelockt und drittens war er so liebenswürdig sich zu verpflichten, den »Heizer« später mit Deiner Geschichte und noch einer andern in einem größern Bande nochmals herauszugeben. (F. 374)

                                                  24. Mai 1913
Übermut, weil ich den »Heizer« für so gut hielt. Abends las ich ihn den Eltern vor, einen besseren Kritiker als mich während des Vorlesens vor dem höchst widerwillig zuhörenden Vater gibt es nicht. Viele flache Stellen vor offenbar unzugänglichen Tiefen. (T. 305)

Kafka an Kurt Wolff   [Prag,] 25. V. 13
Als ich das Bild[8] in meinem Buche sah, bin ich zuerst erschrocken, denn erstens widerlegte es mich, der ich doch das allermodernste

---

[8] Auf dem Umschlag des »Heizers« war, auf Vorschlag von Franz Werfel, ein Stahlstich aus dem neunzehnten Jahrhundert abgebildet, der die Hafenansicht von New York zeigt.

New York dargestellt hatte, zweitens war es gegenüber der Geschichte im Vorteil, da es vor ihr wirkte und als Bild konzentrierter als Prosa und drittens war es zu schön; wäre es nicht ein altes Bild, könnte es fast von Kubin sein. Jetzt aber habe ich mich schon längst damit abgefunden und bin sogar sehr froh, daß Sie mich damit überrascht haben, denn hätten Sie mich gefragt, hätte ich mich nicht dazu entschließen können und wäre um das schöne Bild gekommen. Ich fühle mein Buch durchaus um das Bild bereichert und schon wird Kraft und Schwäche zwischen Bild und Buch ausgetauscht. Von wo stammt übrigens das Bild?   (Br. 117 f.)

Kafka an Felice   [Prag,] 10. VI. 13
Heute schicke ich Dir den »Heizer«. Nimm den kleinen Jungen freundlich auf, setze ihn neben Dich nieder und lob' ihn, wie er es sich wünscht.   (F. 397)

Kafka an Felice   [Prag,] 19. VI. 13
Wärest Du so gut, mir ein Exemplar der Berliner »Deutschen Montagszeitung« vom letzten Montag zu verschaffen. Es soll etwas über den »Heizer« drinstehn.   (F. 405)

Kafka an Felice   [Prag,] 26. VI. 13
Die Montagszeitung? Wenn nichts vom »Heizer« drin ist, muß ich sie natürlich nicht haben.   (F. 413)

Gespräch Kafkas mit Max Brod   [Um 1913]
Das Manuskript Franz Kafkas trägt keinen Titel. Im Gespräch pflegte er das Buch seinen »amerikanischen Roman«, später nach dem separat erschienenen Anfangskapitel (1913) einfach »Der Heizer« zu nennen. An dem Werk arbeitete er mit unendlicher Lust, meist abends und bis spät in die Nacht hinein, die Manuskriptseiten zeigen erstaunlich wenig Korrekturen und Streichungen. Kafka war sich bewußt und hob es gesprächsweise öfters hervor, daß dieser Roman hoffnungsfreudiger und »lichter« sei als alles, was er sonst geschrieben hat. [...] Aus Gesprächen weiß ich, daß das vorliegende unvollendete Kapitel über das »Naturtheater in Oklahoma«, ein Kapitel, dessen Einleitung Kafka besonders liebte

und herzergreifend schön vorlas, das Schlußkapitel sein und versöhnlich ausklingen sollte. Mit rätselhaften Worten deutete Kafka lächelnd an, daß sein junger Held in diesem »fast grenzenlosen« Theater Beruf, Freiheit, Rückhalt, ja sogar die Heimat und die Eltern wie durch paradiesischen Zauber wiederfinden werde.

(A. 356)

Kafka an den Verlag Kurt Wolff   [Prag,] 15. X. 13
Wie ich höre, soll vor etwa 14 Tagen (abgesehen von der Besprechung des »Heizers« in der Neuen Freien Presse; die kenne ich) noch in einem andern Wiener Blatte, ich glaube, in der »Wiener Allgemeinen Zeitung« eine Besprechung erschienen sein. Falls Sie sie kennen, bitte ich Sie, so freundlich zu sein und mir Namen, Nummer und Datum des Blattes anzugeben.   (Br. 124)

Kafka an Kurt Wolff   Prag, am 23. Oktober 1913
Ich habe vor etwa 10 Tagen mich mit einer kleinen Bitte an Ihren Verlag gewendet, allerdings, wie ich jetzt sehe, unter der alten Adresse, und habe bis heute keine Antwort bekommen. Ich habe nämlich gehört, daß vor etwa zwei, drei Wochen in einer Wiener Zeitung (ich meine nicht die Besprechung in der Neuen Freien Presse, die ich kenne), ich glaube in der Wiener Allgemeinen Zeitung eine Besprechung des »Heizer« erschienen sein soll und da bat ich Ihren geschätzten Verlag, falls ihm diese Besprechung bekannt sein sollte, um Angabe des Namens, der Nummer und des Datums des Blattes. Nun soll überdies in den letzten Tagen eine Besprechung im Berliner Börsenkurier erschienen sein. Auch für die Mitteilung der betreffenden Nummer des Börsenkurier wäre ich Ihnen sehr verbunden.   (Br. 124 f.)

27. November 1913
Ich muß aufhören, ohne geradezu abgeschüttelt zu sein. Ich fühle auch keine Gefahr, daß ich mich verlieren könnte, immerhin fühle ich mich hilflos und außenstehend. Die Festigkeit aber, die das geringste Schreiben mir verursacht, ist zweifellos und wunderbar. Der Blick, mit dem ich gestern auf dem Spaziergang alles überblickte!   (T. 336)

9. Februar 1915

Ich schreibe »Bouvard und Pécuchet«[9] sehr frühzeitig. Wenn sich die beiden Elemente – am ausgeprägtesten im »Heizer« und in der »Strafkolonie« – nicht vereinigen, bin ich am Ende. Ist aber für diese Vereinigung Aussicht vorhanden? (T. 463)

14. Mai 1915

Aus aller Regelmäßigkeit des Schreibens gekommen. [...] Heute alte Kapitel aus dem »Heizer« gelesen. Scheinbar mir heute unzugängliche (schon unzugängliche) Kraft. (T. 477)

29. September 1915

Roßmann und K.[10], der Schuldlose und der Schuldige, schließlich beide unterschiedslos strafweise umgebracht, der Schuldlose mit leichterer Hand, mehr zur Seite geschoben als niedergeschlagen.

(T. 481)

Kafka an den Verlag Kurt Wolff   Prag, am 15. Oktober 1915

Ich weiß nicht, wie die späteren Bändchen des »Jüngsten Tag« gebunden worden sind, der »Heizer« war nicht hübsch gebunden. Es war irgendeine Imitation, die man, wenigstens nach einiger Zeit, nur fast mit Widerwillen anschauen konnte. Ich würde also um einen andern Einband bitten.

[...]

Herr Wolff hat mir einmal einige Besprechungen des »Heizer« geschickt; falls Sie sie irgendwie brauchen sollten, kann ich sie schicken. (Br. 134)

8. Oktober 1917

Dickens »Copperfield« (»Der Heizer« glatte Dickensnachahmung, noch mehr der geplante Roman). Koffergeschichte, der Beglückende und Bezaubernde, die niedrigen Arbeiten, die Geliebte auf dem Landgut, die schmutzigen Häuser u. a., vor allem aber die Methode.

9 Flauberts letzter Roman.
10 Die Hauptfiguren von Kafkas Romanen »Amerika« und »Das Schloß«.

46

Meine Absicht war, wie ich jetzt sehe, einen Dickens-Roman zu schreiben, nur bereichert um die schärferen Lichter, die ich der Zeit entnommen, und die mattern, die ich aus mir selbst aufgesteckt hätte. Dickens' Reichtum und bedenkenloses mächtiges Hinströmen, aber infolgedessen Stellen grauenhafter Kraftlosigkeit, wo er müde nur das bereits Erreichte durcheinanderrührt. Barbarisch der Eindruck des unsinnigen Ganzen, ein Barbarentum, das allerdings ich, dank meiner Schwäche und belehrt durch mein Epigonentum, vermieden habe. Herzlosigkeit hinter der von Gefühl überströmenden Manier. Diese Klötze roher Charakterisierung, die künstlich bei jedem Menschen eingetrieben werden und ohne die Dickens nicht imstande wäre, seine Geschichte auch nur einmal flüchtig hinaufzuklettern. (T. 535 f.)

Kafka an Milena   [Meran, Frühjahr 1920]
Als ich das Heft aus dem großen Kouvert zog, war ich fast enttäuscht. Ich wollte von Ihnen hören und nicht die allzu gut bekannte Stimme aus dem alten Grabe. Warum mischte sie sich zwischen uns? Bis mir dann einfiel, daß sie auch zwischen uns vermittelt hatte [11]. Im übrigen aber ist es mir unbegreiflich, daß Sie diese große Mühe auf sich genommen haben, und tief rührend, mit welcher Treue Sie es getan haben, Sätzchen auf und ab, einer Treue, deren Möglichkeit und schöne natürliche Berechtigung, mit der Sie sie üben, ich in der tschechischen Sprache nicht vermutet habe. So nahe deutsch und tschechisch? Aber wie das auch sein mag, jedenfalls ist es eine abgründig schlechte Geschichte; mit einer Leichtigkeit, wie nichts sonst, könnte ich, liebe Frau Milena, Ihnen das fast Zeile für Zeile nachweisen, nur der Widerwille dabei wäre noch ein wenig stärker als der Beweis. Daß Sie die Geschichte gern haben, gibt ihr natürlich Wert, trübt mir aber ein wenig das Bild der Welt. Nichts mehr davon. Den »Landarzt« bekommen Sie von Wolff, ich habe ihm geschrieben. (M. 14 f.)

11 Das von Milena ins Tschechische übersetzte erste Kapitel »Der Heizer«. (Veröffentlicht in der Prager Zeitschrift »Kmen« 4, 1920, S. 61 ff.)

Kafka an Milena   [Meran, Frühjahr 1920
Sie haben alles, was von mir erschienen ist, außer dem letzten Buch
»Landarzt«, einer Sammlung kleiner Erzählungen, die Ihnen Wolff
schicken wird, wenigstens habe ich ihm vor einer Woche deshalb
geschrieben. Im Druck ist nichts, ich wüßte auch nicht, was kommen könnte. Alles, was Sie mit den Büchern und Übersetzungen
tun werden, wird richtig sein, schade daß sie mir nicht wertvoller
sind, damit die Übergabe in Ihre Hände das Vertrauen, das ich zu
Ihnen habe, wirklich ausdrückte. Dagegen freue ich mich durch
paar Bemerkungen über den »Heizer«, die Sie wünschen, wirklich
ein kleines Opfer bringen zu können; es wird der Vorgeschmack
jener Höllenstrafe sein, die darin besteht, daß man sein Leben
nochmals mit dem Blick der Erkenntnis durchnehmen muß, wobei
das Schlimmste nicht die Durchsicht der offenbaren Untaten ist,
sondern jener Taten, die man einstmals für gut gehalten hat.
                                                          (M. 20 f.)

Gespräch Kafkas mit Gustav Janouch   [1920–23]
Jugend bezauberte Franz Kafka. Seine Erzählung *Der Heizer* ist
voller Sanftmut und Ergriffenheit. Ich sagte ihm das, als wir zusammen die tschechische Übersetzung Milena Jesenskás, welche in
der literarischen Zeitschrift *Kmen* erschienen war, durchsprachen.
»In der Erzählung ist so viel Sonne und gute Stimmung. Es ist da
so viel Liebe – obwohl von ihr überhaupt nicht gesprochen wird.«
»Die ist nicht in der Erzählung, sondern im Gegenstand des Er-
zählens, in der Jugend«, bemerkte Franz Kafka ernst. »Die ist voll
Sonne und Liebe. Die Jugend ist glücklich, weil sie die Fähigkeit
besitzt, Schönheit zu sehen. Wenn diese Fähigkeit verlorengeht, beginnt trostloses Alter, Verfall, das Unglück.«
»Alter schließt also jede Möglichkeit von Glück aus?«
»Nein, das Glück schließt das Alter aus.« Lächelnd beugte er den
Kopf nach vorn, als ob er ihn zwischen den hochgezogenen Schul-
tern verbergen wollte. »Wer die Fähigkeit, Schönheit zu sehen, be-
hält, der altert nicht.«
Lächeln, Körperhaltung und Stimme erinnerten an einen stillen,
vergnügten Jungen.
»Im *Heizer* sind Sie also sehr jung und glücklich.«

48

Ich hatte diesen Satz noch nicht beendet, als sich sein Gesichtsausdruck verdüsterte.

»*Der Heizer* ist sehr gut«, beeilte ich mich zu bemerken, aber Franz Kafkas große dunkelgraue Augen waren voll Trauer.

»Am besten spricht man über ferne Dinge. Die sieht man am besten. *Der Heizer* ist die Erinnerung an einen Traum, an etwas, was vielleicht nie Wirklichkeit war. Karl Roßmann ist nicht Jude. Wir Juden werden aber schon alt geboren.«   (J. 52 f.)

Gespräch Kafkas mit Gustav Janouch   [1920–23]
Bei einer anderen Gelegenheit, als ich Doktor Kafka einen Fall jugendlicher Kriminalität erzählte, kamen wir im Gespräch wieder auf die Erzählung *Der Heizer*.
Ich fragte, ob die Gestalt des sechzehnjährigen Karl Roßmann nach einer Vorlage gezeichnet sei.
Franz Kafka sagte: »Ich hatte viele und keine Vorlage. Aber das ist ja alles schon Vergangenheit.«
»Die Gestalt des jungen Roßmann sowie die des Heizers sind so lebendig«, meinte ich.
Kafkas Miene verdüsterte sich.
»Das ist nur ein Nebenprodukt. Ich zeichnete keine Menschen. Ich erzählte eine Geschichte. Das sind Bilder, nur Bilder.«
»Dann muß es doch eine Vorlage geben. Die Vorbedingung des Bildes ist das Sehen.«
Kafka lächelte.
»Man photographiert Dinge, um sie aus dem Sinn zu verscheuchen. Meine Geschichten sind eine Art von Augenschließen.«
     (J. 53 f.)

Gespräch Kafkas mit Gustav Janouch   [1920–23]
Doktor Kafka [. . .] erklärte [. . .]:
»Politische Flugblätter sind an ganz unreale Adressaten gerichtet. Die Nation sowie die Arbeiterklasse sind nur abstrakte Verallgemeinerungen, dogmatische Begriffe, nebelhafte Erscheinungen, die erst durch eine Sprachoperation greifbar wurden. Die beiden Begriffe sind nur als Sprachschöpfungen real. Ihr Leben ist im Sprechen, in seiner Innenwelt, aber nicht in der Außenwelt des

Menschen verankert. Wirklich ist nur der konkrete, wirkliche Mensch, der Nächste, den uns Gott in den Weg stellt und dessen Wirken wir unmittelbar ausgesetzt sind.«

Darauf bemerkte ich: »Wie zum Beispiel der Heizer dem jungen Karl Rossmann in den Weg gestellt wurde.«

»Ja«, nickte Kafka. »Das ist wie jeder konkrete Mensch ein Bote der Außenwelt. Abstraktionen sind nur Zerrbilder der eigenen Leidenschaften, Gespenster aus den Verliesen der Innenwelt.«

(J. 132 f.)

Gespräch Kafkas mit Gustav Janouch   [1920–23]

Kafka sagte: »Dickens gehört zu meinen Lieblingsautoren. Ja, er war eine gewisse Zeit sogar ein Vorbild dessen, was ich vergeblich zu erreichen versuchte. Ihr geliebter Karl Rossmann ist ein entfernter Verwandter von David Copperfield und Oliver Twist.«

(J. 247)

Die Verwandlung
November 1912
Erstdruck: »Die weißen Blätter«, Leipzig, Oktober 1915
Buchausgabe: Leipzig 1915

Kafka an Felice   [Prag,] 24. X. 12
War das heute eine tüchtig schlaflose Nacht, in der man sich gerade
noch zum Schluß, in den letzten zwei Stunden, zu einem erzwun-
genen, ausgedachten Schlafe zusammendreht, in dem die Träume
noch lange nicht Träume und der Schlaf erst recht kein Schlaf ist.
Und nun bin ich außerdem vor dem Haustor mit der Trage eines
Fleischergesellen zusammengerannt, deren Holz ich noch jetzt über
dem linken Auge spüre[1].   (F. 51)

Kafka an Felice   [Prag,] 17. XI. 12
Wieder antworte ich auf nichts, aber Antworten ist eben Sache der
mündlichen Rede, durch Schreiben kann man nicht klug werden,
höchstens eine Ahnung des Glücks bekommen. Ich werde Dir übrigens heute wohl noch schreiben, wenn ich auch noch heute viel
herumlaufen muß und eine kleine Geschichte niederschreiben
werde, die mir in dem Jammer im Bett eingefallen ist und mich
innerlichst bedrängt.   (F. 102)

Kafka an Felice   [Prag,] 18. XI. 1912
Meine Liebste, es ist $^1/_2 2$ nachts, die angekündigte Geschichte ist bei
weitem noch nicht fertig, am Roman [Amerika] ist heute keine
Zeile geschrieben worden, ich gehe mit wenig Begeisterung ins Bett.
Hätte ich die Nacht frei, um sie, ohne die Feder abzusetzen, durch-

1 Vgl. »Die Verwandlung«: »... und dann hoch über sie hinweg
ein Fleischergeselle mit der Trage auf dem Kopf in stolzer Haltung...« Erzählungen, S. 140.

schreiben zu können bis zum Morgen! Es sollte eine schöne Nacht werden. (F. 102)

Kafka an Felice   [Prag,] 18. XI. 12
Gerade setzte ich mich zu meiner gestrigen Geschichte mit einem unbegrenzten Verlangen, mich in sie auszugießen, deutlich von aller Trostlosigkeit aufgestachelt. Von so vielem bedrängt, über Dich in Ungewissem, gänzlich unfähig, mit dem Bureau auszukommen, angesichts dieses seit einem Tag stillstehenden Romans [Amerika] mit einem wilden Wunsch, die neue, gleichfalls mahnende Geschichte fortzusetzen, seit einigen Tagen und Nächten bedenklich nahe an vollständiger Schlaflosigkeit und noch einiges weniger Wichtige, aber doch Störende und Aufregende im Kopf. [...]   (F. 105)

Kafka an Felice   [Prag,] 23. XI. 12
Es ist sehr spät in der Nacht, ich habe meine kleine Geschichte weggelegt, an der ich allerdings schon zwei Abende gar nichts gearbeitet habe und die sich in der Stille zu einer größern Geschichte auszuwachsen beginnt. Zum Lesen sie Dir geben, wie soll ich das? selbst wenn sie schon fertig wäre? Sie ist recht unleserlich geschrieben und selbst wenn das kein Hindernis wäre, denn ich habe Dich gewiß bisher durch schöne Schrift nicht verwöhnt, so will ich Dir auch nichts zum Lesen schicken. Vorlesen will ich Dir. Ja, das wäre schön, diese Geschichte Dir vorzulesen und dabei gezwungen zu sein, Deine Hand zu halten, denn die Geschichte ist ein wenig fürchterlich. Sie heißt »Verwandlung«, sie würde Dir tüchtig Angst machen und Du würdest vielleicht für die ganze Geschichte danken, denn Angst ist es ja, die ich Dir mit meinen Briefen leider täglich machen muß. [...] Dem Helden meiner kleinen Geschichte ist es aber auch heute gar zu schlecht gegangen und dabei ist es nur die letzte Staffel seines jetzt dauernd werdenden Unglücks.

                                                        (F. 116)

Kafka an Felice   [Prag,] 24. XI. 12
Liebste! Was ist das doch für eine ausnehmend ekelhafte Geschichte, die ich jetzt wieder beiseite lege, um mich in den Gedanken an Dich

zu erholen. Sie ist jetzt schon ein Stück über ihre Hälfte fortgeschrit-
ten und ich bin auch im allgemeinen mit ihr nicht unzufrieden,
aber ekelhaft ist sie grenzenlos und solche Dinge, siehst Du, kommen aus dem gleichen Herzen, in dem Du wohnst und das Du als
Wohnung duldest. Sei darüber nicht traurig, denn, wer weiß, je
mehr ich schreibe und je mehr ich mich befreie, desto reiner und
würdiger werde ich vielleicht für Dich, aber sicher ist noch vieles
aus mir hinauszuwerfen und die Nächte können gar nicht lang
genug sein für dieses übrigens äußerst wollüstige Geschäft.

(F. 117)

[Prag,] Sonntag [24. November 1912] nach dem Mittagessen
Kafka an Felice
Heute vormittag war ich bei Baum (kennst Du Oskar Baum?) wie
jeden Sonntag und habe (es war auch Max mit seiner Braut dort)
den ersten Teil meiner kleinen Geschichte vorgelesen.   (F. 122)

Kafka an Felice   [Prag,] 25. XI. 12 Sonntag nachts
Nun muß ich heute, Liebste, meine kleine Geschichte, an der ich
heute gar nicht soviel wie gestern gearbeitet habe, weglegen und sie
wegen dieser verdammten Kratzauer Reise einen oder gar zwei
Tage ruhen lassen. Es tut mir so leid, wenn es auch hoffentlich keine
allzuschlimmen Folgen für die Geschichte haben wird, für die ich
doch noch 3–4 Abende nötig habe. Mit den nicht allzu schlimmen
Folgen meine ich, daß die Geschichte schon genug durch meine
Arbeitsweise leider geschädigt ist. Eine solche Geschichte müßte
man höchstens mit einer Unterbrechung in zweimal 10 Stunden
niederschreiben, dann hätte sie ihren natürlichen Zug und Sturm,
den sie vorigen Sonntag in meinem Kopfe hatte. Aber über zweimal zehn Stunden verfüge ich nicht. So muß man bloß das Best-
mögliche zu machen suchen, da das Beste einem versagt ist. Aber
schade, daß ich sie Dir nicht vorlesen kann, schade, schade [. . .]

(F. 125)

Kafka an Felice   [Prag,] 26. XI. 12
Diese ewige Sorge, die ich auch jetzt übrigens noch habe, daß die
Reise meiner kleinen Geschichte schaden wird, daß ich nichts mehr

werde schreiben können u. s. w. Und mit diesen Gedanken in ein
elendes Wetter hinausschauen zu müssen [. . .]   (F. 130)

Kafka an Felice   [Prag,] 27. XI. 12
Wirklich, Felice, wenn ich so allein in der Nacht hier sitze und wie
heute und gestern nicht besonders gut geschrieben habe – es wälzt
sich etwas trübe und gleichmüthig fort und die notwendige Klarheit erleuchtet es nur für Augenblicke – [. . .]   (F. 135)

Kafka an Felice   [Prag,] 1. XII. 12
Liebste Felice, nach Beendigung des Kampfes mit meiner kleinen
Geschichte – ein dritter Teil, aber nun ganz bestimmt (wie unsicher
und voll Schreibfehler ich schreibe, ehe ich mich an die wirkliche
Welt gewöhne) der letzte, hat begonnen sich anzusetzen – muß ich
unbedingt Dir, Liebste, noch Gute Nacht sagen [. . .]   (F. 145)

Kafka an Felice   [Prag,] 1. XI. 12 [1. Dezember 1912]
[. . .], ich bin jetzt endlich bei meiner kleinen Geschichte ein wenig
ins Feuer gerathen, das Herz will mich mit Klopfen weiter in sie
hineintreiben, ich aber muß versuchen, mich so gut es geht aus ihr
herauszubringen und weil das eine schwere Arbeit sein wird und
Stunden vergehen werden ehe der Schlaf kommt, muß ich mich be-
eilen, ins Bett zu gehn.
[. . .]
Liebste, ich möchte gerne etwas Lustiges noch sagen, aber es fällt
mir nichts Natürliches ein, auch weinen auf der letzten aufgeschla-
genen Seite meiner Geschichte alle 4 Personen oder sind wenigstens
in traurigster Verfassung.   (F. 147)

Kafka an Felice   [Prag,] 3. XII. 12
Liebste, ich hätte heute wohl die Nacht im Schreiben durchhalten
sollen. Es wäre meine Pflicht, denn ich bin knapp vor dem Ende
meiner kleinen Geschichte und Einheitlichkeit und das Feuer zu-
sammenhängender Stunden täte diesem Ende unglaublich wohl.
Wer weiß überdies, ob ich morgen nach der Vorlesung[2], die ich

2 Vermutlich der Prager Autorenabend am 4. Dezember 1912. Vgl.
Kafkas Brief vom 30. November 1912, (F. 144).

jetzt verfluche, noch werde schreiben können. Trotzdem – ich höre auf, ich wage es nicht. Durch dieses Schreiben, das ich ja in diesem regelmäßigen Zusammenhang noch gar nicht so lange betreibe, bin ich aus einem durchaus nicht musterhaften, aber zu manchen Sachen gut brauchbaren Beamten (mein vorläufiger Titel ist Koncipist) zu einem Schrecken meines Chefs geworden. Mein Schreibtisch im Bureau war gewiß nie ordentlich, jetzt aber ist er von einem wüsten Haufen von Papieren und Akten hoch bedeckt, ich kenne beiläufig nur das, was obenauf liegt, unten ahne ich bloß Fürchterliches. Manchmal glaube ich fast zu hören, wie ich von dem Schreiben auf der einen Seite und von dem Bureau auf der andern geradezu zerrieben werde. Dann kommen ja wieder auch Zeiten, wo ich beides verhältnismäßig ausbalanciere, besonders wenn ich zuhause schlecht geschrieben habe, aber diese Fähigkeit (nicht die des schlechten Schreibens) geht mir – fürchte ich – allmählich verloren. (F. 153)

Kafka an Felice   [Prag,] 3. XII. 12
Meine Geschichte würde mich nicht schlafen lassen, Du bringst mir mit den Träumen den Schlaf. (F. 154)

Kafka an Felice   [Prag, 4.–5. Dezember 1912]
Ach Liebste, unendlich Geliebte, für meine kleine Geschichte ist nun wirklich schon zu spät, so wie ich es mit Furcht geahnt habe, unvollendet wird sie bis morgen nacht zum Himmel starren [. . .]
(F. 155)

                        [Prag,] vom 6. zum XII. 12
Kafka an Felice   [vermutlich vom 5. zum 6. Dezember 1912]
Weine, Liebste, weine, jetzt ist die Zeit des Weinens da! Der Held meiner kleinen Geschichte ist vor einer Weile gestorben. Wenn es Dich tröstet, so erfahre, daß er genug friedlich und mit allen ausgesöhnt gestorben ist. Die Geschichte selbst ist noch nicht ganz fertig, ich habe keine rechte Lust jetzt mehr für sie und lasse den Schluß bis morgen. Es ist auch schon sehr spät und ich hatte genug zu tun, die gestrige Störung zu überwinden. Schade, daß in manchen Stellen der Geschichte deutlich meine Ermüdungszustände und

sonstige Unterbrechungen und nicht dazugehörige Sorgen ein-
gezeichnet sind, sie hätte gewiß reiner gearbeitet werden können,
gerade an den süßen Seiten sieht man das. Das ist eben das ewig
bohrende Gefühl; ich selbst, ich mit den gestaltenden Kräften, die
ich in mir fühle, ganz abgesehen von ihrer Stärke und Ausdauer,
hätte bei günstigern Lebensumständen eine reinere, schlagendere,
organisiertere Arbeit fertiggebracht, als die, die jetzt vorliegt. Es ist
das ein Gefühl, das keine Vernunft ausreden kann, trotzdem natürlich niemand anderer als die Vernunft recht hat, welche sagt, daß
man, ebenso wie es keine andern Umstände gibt als die wirklichen,
auch mit keinen andern rechnen kann. Wie das aber auch sein mag,
morgen hoffe ich die Geschichte zu beenden und übermorgen mich
auf den Roman zurückzuwerfen.   (F. 160)

Kafka an Felice   [Prag,] vom 6. zum 7. XII. 12
Liebste, also höre, meine kleine Geschichte ist beendet, nur macht
mich der heutige Schluß gar nicht froh, er hätte schon besser sein
dürfen, das ist kein Zweifel.   (F. 163)

Kafka an Felice   [Prag,] Samstag [1. März 1913] 2 Uhr [nachts]
Nur paar Worte, Liebste. Ein schöner Abend bei Max. Ich las mich
an meiner Geschichte in Raserei. Wir haben es uns dann wohl sein
lassen und viel gelacht. Wenn man Türen und Fenster gegen diese
Welt absperrt, läßt sich doch hie und da der Schein und fast der
Anfang einer Wirklichkeit eines schönen Daseins erzeugen.

                                                          (F. 320)

        [Postkarte, Charlottenburg, Stempel 25. März 1913]
Kafka an Kurt Wolff
Glauben Sie Werfel nicht! Er kennt ja kein Wort von der Geschichte. Bis ich sie ins Reine werde haben schreiben lassen, schicke
ich sie natürlich sehr gerne.   (Br. 114)

                                             20. Oktober 1913
[...] nun las ich zu Hause »Die Verwandlung« und finde sie
schlecht. Vielleicht bin ich wirklich verloren, die Traurigkeit von
heute morgen wird wiederkommen, ich werde ihr nicht lange

widerstehen können, sie nimmt mir jede Hoffnung. Ich habe nicht einmal Lust, ein Tagebuch zu führen, vielleicht weil darin schon zuviel fehlt, vielleicht weil ich immerfort nur halbe und allem Anschein nach notwendig halbe Handlungsweisen beschreiben müßte, vielleicht weil selbst das Schreiben zu meiner Traurigkeit beiträgt.

(T. 323)

19. Januar 1914

Großer Widerwillen vor »Verwandlung«. Unlesbares Ende. Unvollkommen fast bis in den Grund. Es wäre viel besser geworden, wenn ich damals nicht durch die Geschäftsreise gestört worden wäre.

(T. 351)

Kafka an Grete Bloch   [Prag,] 21. IV. 14

Ob Sie sich auf die »Geschichte« freuen dürfen? Ich weiß nicht, der »Heizer« hat Ihnen nicht gefallen. Jedenfalls, die »Geschichte« freut sich auf Sie, daran ist kein Zweifel. Übrigens heißt die Heldin Grete und macht Ihnen wenigstens im ersten Teil keine Unehre. Später allerdings, als die Plage zu groß wird, läßt sie ab und fängt ein selbständiges Leben an, verläßt den, der sie braucht. Eine alte Geschichte übrigens, mehr als ein Jahr alt, damals wußte ich den Namen Grete noch nicht zu schätzen, lernte es erst im Laufe der Geschichte.   (F. 561 f.)

Kafka an René Schickele   Prag 7. April 1915

Auf ein baldiges Erscheinen dieser Erzählung dringe ich ganz und gar nicht, wohl aber bitte ich um möglichst baldige Nachricht darüber, ob Sie sie überhaupt aufnehmen können. Da Sie Fortsetzungen vermeiden wollen, muß die Unterbringung meiner Erzählung Schwierigkeiten machen, das sehe ich natürlich ein. Wenn ich sie trotzdem nicht freiwillig zurückziehe, so nur deshalb, weil mir an ihrer Veröffentlichung besonders gelegen ist. Sollte sie aber vollständig ausgeschlossen sein, so könnte ich Ihnen eine andere Erzählung[3] vorlegen, die ich auch fertig habe und die nur etwa 30 Schreibmaschinenseiten hat, also wenigstens hinsichtlich des Umfanges weniger fragwürdig ist.   (M. K. 7, 140)

3 Vermutlich »Blumfeld, ein älterer Junggeselle«.

Kafka an Max Brod   [Prag, etwa August 1915]
Hier ist das Manuskript. Es ist mir eingefallen, ob man jetzt, da
Blei nicht mehr bei den Weißen Blättern [4] ist, nicht etwa versuchen
könnte, die Geschichte in die Weißen Blätter zu bringen. Wann es
erscheinen würde, wäre mir ganz gleichgültig, nächstes oder nächst-
nächstes Jahr.   (Br. 132)

Kafka an den Verlag Kurt Wolff   Prag, am 15. Oktober 1915
Die Korrektur der Verwandlung ist beigeschlossen. Leid tut es mir,
daß der Druck anders ist als bei Napoleon [5], trotzdem ich doch
die Zusendung des Napoleon als ein Versprechen dessen ansehen
konnte, daß die Verwandlung ebenso gedruckt würde. Nun ist
aber das Seitenbild des Napoleon schön licht und übersichtlich, das
der Verwandlung aber (ich glaube bei gleicher Buchstabengröße)
dunkel und gedrängt. Wenn sich darin noch etwas ändern ließe,
wäre das sehr in meinem Sinn.   (Br. 134)

Kafka an den Verlag Kurt Wolff   Prag, am 25. Oktober 1915
Sie schrieben letzthin, daß Ottomar Starke [6] ein Titelblatt zur Verwandlung zeichnen wird. Nun habe ich einen kleinen, allerdings
soweit ich den Künstler aus »Napoleon« kenne, wahrscheinlich sehr
überflüssigen Schrecken bekommen. Es ist mir nämlich, da Starke
doch tatsächlich illustriert, eingefallen, er könnte etwa das Insekt
selbst zeichnen wollen. Das nicht, bitte das nicht! Ich will seinen
Machtkreis nicht einschränken, sondern nur aus meiner natür-
licherweise bessern Kenntnis der Geschichte heraus bitten. Das
Insekt selbst kann nicht gezeichnet werden. Es kann aber nicht einmal von der Ferne aus gezeigt werden. Besteht eine solche Absicht
nicht und wird meine Bitte also lächerlich – desto besser. Für die
Vermittlung und Bekräftigung meiner Bitte wäre ich Ihnen sehr

---

4 »Die Verwandlung« erschien in der Oktober Nummer 1915 dieser Zeitschrift, die zuerst von E. E. Schwabach, später von René
Schickele herausgegeben, seit 1913 in Leipzig erschien.
5 »Napoleon«, Erzählung von Carl Sternheim. Leipzig 1915. (Erschienen als Band 19 in der Reihe »Der jüngste Tag«).
6 Graphiker und Buchillustrator.

dankbar. Wenn ich für eine Illustration selbst Vorschläge machen dürfte, würde ich Szenen wählen, wie: die Eltern und der Prokurist vor der geschlossenen Tür oder noch besser die Eltern und die Schwester im beleuchteten Zimmer, während die Tür zum ganz finsteren Nebenzimmer offensteht. (Br. 135 f.)

[Postkarte. Ankunftsstempel: Berlin – 24. Dezember 1915]
Kafka an Felice
»Verwandlung« ist als Buch erschienen, sieht gebunden schön aus.
(F. 646)

Kafka an Felice   [Prag,] 7. X. 16
In der letzten Neuen Rundschau wird die »Verwandlung« erwähnt, mit vernünftiger Begründung abgelehnt und dann heißt es etwa: »K's Erzählungskunst besitzt etwas Urdeutsches.« In Maxens Aufsatz dagegen: »K's Erzählungen gehören zu den jüdischesten Dokumenten unserer Zeit.«
Ein schwerer Fall. Bin ich ein Cirkusreiter auf 2 Pferden? Leider bin ich kein Reiter, sondern liege am Boden. (F. 719 f.)

Kafka an Felix Weltsch   [Zürau, 22. September 1917]
Übrigens noch eine Bitte, die gut anschließt: Im zweiten Band der »krankhaften Störungen des Trieb- und Affektlebens (Onanie und Homosexualität)« von Dr. Wilhelm Stekel[7] oder so ähnlich (Du kennst doch diesen Wiener, der aus Freud kleine Münze macht), stehn fünf Zeilen über die »Verwandlung«. Hast Du das Buch, dann sei so freundlich und schreib es mir ab. (Br. 169)

Gespräch Kafkas mit Gustav Janouch   [1920–23]
Ich zog das englische Buch aus der Jackentasche, legte es vor Kafka auf die Bettdecke [...] Als ich ihm sagte, daß Garnetts Buch[8] die Methode der *Verwandlung* kopiere, lächelte er müde und meinte mit einer kleinen, abweisenden Handbewegung: »Ach nein! Das

7 Wilhelm Steckel, Psychoanalytiker, Schüler Freuds.
8 »Lady into Fox« von David Garnett, englischer Schriftsteller und Kritiker.

59

hat er nicht von mir. Das liegt in der Zeit. Wir haben es beide von ihr abgeschrieben. Das Tier ist uns näher als der Mensch. Das ist das Gitter. Die Verwandtschaft mit dem Tier ist leichter als die mit den Menschen.«

[...]

Nächste Woche war er nicht in der Kanzlei. Ich konnte ihn erst zehn oder vierzehn Tage später heimbegleiten. Er gab mir das Buch und sagte: »Jeder lebt hinter einem Gitter, das er mit sich herumträgt. Darum schreibt man jetzt so viel von den Tieren. Es ist ein Ausdruck der Sehnsucht nach einem freien, natürlichen Leben. Das natürliche Leben für den Menschen ist aber das Menschenleben. Doch das sieht man nicht. Man will es nicht sehen. Das menschliche Dasein ist zu beschwerlich, darum will man es wenigstens in der Fantasie abschütteln.«

Ich entwickelte seinen Gedanken weiter: »Es ist eine ähnliche Bewegung wie vor der großen Französischen Revolution. Damals sagte man: Zurück zur Natur.«

»Ja!« nickte Kafka. »Doch heute geht man weiter. Man sagt es nicht nur – man tut es. Man kehrt zum Tier zurück. Das ist viel einfacher als das menschliche Dasein. Wohlgeborgen in der Herde marschiert man durch die Straßen der Städte zur Arbeit, zum Futtertrog und zum Vergnügen. Es ist ein genau abgezirkeltes Leben wie in der Kanzlei. Es gibt keine Wunder, sondern nur Gebrauchsanweisungen, Formulare und Vorschriften. Man fürchtet sich vor der Freiheit und Verantwortung. Darum erstickt man lieber hinter den selbst zusammengebastelten Gittern.« (J. 43 f.)

Gespräch Kafkas mit Gustav Janouch [1920–23]
»Der Held der Erzählung heißt Samsa«, sagte ich. »Das klingt wie ein Kryptogramm für Kafka. Fünf Buchstaben hier wie dort. Das S im Worte Samsa hat dieselbe Stellung wie das K im Worte Kafka. Das A –«

Kafka unterbrach mich.

»Es ist kein Kryptogramm. Samsa ist nicht restlos Kafka. *Die Verwandlung* ist kein Bekenntnis, obwohl es – im gewissen Sinne – eine Indiskretion ist.«

»Das weiß ich nicht.«

»Ist es vielleicht fein und diskret, wenn man über die Wanzen der eigenen Familie spricht?«

»Das ist natürlich in der guten Gesellschaft nicht üblich.«

»Sehen Sie, wie unanständig ich bin?«

Kafka lachte. Er wollte das Thema des Gespräches erledigen. Das wollte ich aber nicht.

»Ich denke, daß eine Bewertung ›anständig‹ oder ›unanständig‹ hier nicht richtig ist«, sagte ich. »*Die Verwandlung* ist ein schrecklicher Traum, eine schreckliche Vorstellung.«

Kafka blieb stehen.

»Der Traum enthüllt die Wirklichkeit, hinter der die Vorstellung zurückbleibt. Das ist das Schreckliche des Lebens – das Erschütternde der Kunst. Jetzt muß ich aber schon heimgehen.«

(J. 55 f.)

[Prag, Eingangsstempel 21. Oktober 1922]

Kafka an den Verlag Kurt Wolff

Zufällig erfahre ich von dritter Seite, daß die »Verwandlung« und das »Urteil« in ungarischer Übersetzung 1922 in der Kaschauer Zeitung Szebadság und der »Brudermord« in der Osternummer 1922 des »Kassai Naplo« gleichfalls in Kaschau erschienen sind. Der Übersetzer ist der in Berlin lebende ungarische Schriftsteller Sandor Márai. War Ihnen das bekannt? Jedenfalls bitte ich weiterhin das Recht der Übersetzung ins Ungarische einem mir gut bekannten ungarischen Literaten Robert Klopstock[9] vorzubehalten, der gewiß vorzüglich übersetzen wird. (Br. 421)

9 Kafkas Arzt und Freund während seiner letzten Lebensjahre.

Betrachtung
Erstdruck: Leipzig 1913

Inhalt (mit Enstehungsdaten und gegebenenfalls Angaben
über Erstdrucke)

Die Bäume (1904/05) in ›Hyperion‹, München,
Januar–Februar 1908
Unglücklichsein (Spätherbst 1910)

Kafka an Hedwig W. [1]   [Prag, wahrscheinlich November 1907]
Aber aus übertriebener Empfindlichkeit für das äußere Gleichgewicht einer Wage, die Du in Deinen lieben Händen hältst, schicke
ich eine schlechte, vielleicht ein Jahr alte Kleinigkeit [2] mit, die er [3]
unter denselben Umständen (Du nennst keinen Namen und auch
sonst nichts, nicht wahr?) beurteilen soll. Ich werde große Freude
haben, wenn er mich ordentlich auslacht. Du schickst mir dann das
Blatt wieder zurück, wie ich es auch tue.   (Br. 50)

                              15. November 1910, zehn Uhr
Ich werde mich nicht müde werden lassen. Ich werde in meine Novelle [4] hineinspringen und wenn es mir das Gesicht zerschneiden
sollte.   (T. 26)

                                     20. Dezember 1910
Damit diese falschen Stellen, die um keinen Preis aus der Geschichte [5] heraus wollen, mir endlich Ruhe geben, schreibe ich zwei
her:
»Seine Atemzüge waren laut wie Seufzer über einen Traum, in dem
das Unglück leichter zu tragen ist als in unserer Welt, so daß ein-
fache Atemzüge schon genügendes Seufzen sind.«
»Jetzt überblicke ich ihn so frei, wie man ein kleines Geduldspiel
überblickt, von dem man sich sagt: Was tut es, daß ich die Kügelchen nicht in ihre Höhlungen bringen kann, alles gehört mir ja,
das Glas, die Fassung, die Kügelchen und was noch da ist; die ganze
Kunst kann ich einfach in die Tasche stecken.«   (T. 31)

1 Ein Mädchen, das Kafka während eines Besuches bei seinem
Onkel Siegfried Löwy, dem »Landarzt«, im mährischen Städtchen
Triesch (Trest) kennenlernte.
2 »Die Abweisung«.
3 Ein schriftstellernder Bekannter der Hedwig W.
4 vermutlich das Stück »Unglücklichsein«.
5 vermutlich »Unglücklichsein«.

3. Dezember 1911

Das Unglück des Junggesellen ist für die Umwelt, ob scheinbar oder wirklich, so leicht zu erraten, daß er jedenfalls, wenn er aus Freude am Geheimnis Junggeselle geworden ist, seinen Entschluß verfluchen wird. Er geht zwar umher mit zugeknöpftem Rock, die Hände in den hohen Rocktaschen, die Ellbogen spitz, den Hut tief im Gesicht, ein falsches, schon eingeborenes Lächeln soll den Mund schützen, wie der Zwicker die Augen, die Hosen sind schmäler, als es an magern Beinen schön ist. Aber jeder weiß, wie es um ihn steht, kann ihm aufzählen, was er leidet. Kühle weht ihn aus seinem Innern an, in das er mit der noch traurigen andern Hälfte seines Doppelgesichts hineinschaut. Er übersiedelt förmlich unaufhörlich, aber mit erwarteter Gesetzmäßigkeit. Je weiter er von den Lebenden wegrückt, für die er doch, und das ist der ärgste Spott, arbeiten muß wie ein bewußter Sklave, der sein Bewußtsein nicht äußern darf, ein desto kleinerer Raum wird für ihn als genügend befunden. Während die andern, und seien sie ihr Leben lang auf dem Krankenbett gelegen, dennoch vom Tode niedergeschlagen werden müssen, denn wenn sie auch aus eigener Schwäche längst selbst gefallen wären, so halten sie sich doch an ihre liebenden starken gesunden Bluts- und Eheverwandten, er, dieser Junggeselle bescheidet sich aus scheinbar eigenem Willen schon mitten im Leben auf einen immer kleineren Raum, und stirbt er, ist ihm der Sarg gerade recht.

(T. 180 f.)

Kafka an Max Brod   [Prag, wahrscheinlich Anfang 1912]
Lieber Max, kaum bin ich gestern nachhause gekommen, habe ich mich erinnert, daß im »Unglücklichsein« einige kleine aber häßliche Schreib- und Diktierfehler sind, die ich aus meinem Exemplar entfernt habe, während sie in Deinem geblieben sind. Da sie mir Sorgen machen, schick es mir gleich zurück. Du bekommst es verbessert wieder.

(Br. 93)

29. Juni 1912
Rowohlt will ziemlich ernsthaft ein Buch von mir.   (T. 652)

7. August 1912
Lange Plage. Max endlich geschrieben, daß ich die noch übrigen

Stückchen nicht ins reine bringen kann, mich nicht zwingen will und daher das Buch nicht herausgeben werde. (T. 281)

8. August 1912
»Bauernfänger« zur beiläufigen Zufriedenheit fertig gemacht. Mit der letzten Kraft eines normalen Geisteszustandes. Zwölf Uhr, wie werde ich schlafen können? (T. 281)

11. August 1912
Nichts, nichts. Um wieviel Zeit mich die Herausgabe des kleinen Buches bringt und wieviel schädliches, lächerliches Selbstbewußtsein beim Lesen alter Dinge im Hinblick auf das Veröffentlichen entsteht. Nur das hält mich vom Schreiben ab. Und doch habe ich in Wirklichkeit nichts erreicht, die Störung ist der beste Beweis dafür. Jedenfalls werde ich mich jetzt nach Herausgabe des Buches noch viel mehr von Zeitschriften und Kritiken zurückhalten müssen, wenn ich mich nicht damit zufrieden geben will, nur mit den Fingerspitzen im Wahren zu stecken. Wie schwer beweglich ich auch geworden bin! Früher, wenn ich nur ein der augenblicklichen Richtung entgegengesetztes Wort sagte, flog ich auch schon nach der andern Seite, jetzt schaue ich mich bloß an und bleibe wie ich bin. (T. 282 f.)

Kafka an Max Brod [Prag, 14. August 1912]
[...]ich stand gestern beim Ordnen der Stückchen unter dem Einfluß des Fräuleins [Felice], es ist leicht möglich, daß irgendeine Dummheit, eine vielleicht nur im Geheimen komische Aufeinanderfolge dadurch entstanden ist. Bitte, schau das noch nach und laß mich den Dank dafür in den ganz großen Dank einschließen, den ich Dir schuldig bin. Dein Franz
Es ist auch eine Anzahl kleiner Schreibfehler drin, wie ich jetzt bei dem leider ersten Lesen einer Kopie sehe. Und die Interpunktion! Aber vielleicht hat die Korrektur dessen wirklich noch Zeit. Nur dieses: »Wie müßtet ihr aussehn?« in der Kindergeschichte streich und hinter dem vier Worte vorhergehenden »wirklich« mach ein Fragezeichen. (Br. 102 f.)

Kafka an Ernst Rowohlt   Prag, am 14. August 1912
Hier lege ich Ihnen die kleine Prosa vor, die Sie zu sehen wünsch-
ten; sie ergibt wohl schon ein kleines Buch. Während ich sie für
diesen Zweck zusammenstellte, hatte ich manchmal die Wahl zwischen der Beruhigung meines Verantwortungsgefühls und der Gier,
unter Ihren schönen Büchern auch ein Buch zu haben. Gewiß habe
ich mich nicht immer ganz rein entschieden. Jetzt aber wäre ich
natürlich glücklich, wenn Ihnen die Sachen auch nur soweit gefielen,
daß Sie sie druckten. Schließlich ist auch bei größter Übung und
größtem Verständnis das Schlechte in den Sachen nicht auf den
ersten Blick zu sehen. Die verbreitetste Individualität der Schriftsteller besteht ja darin, daß jeder auf ganz besondere Weise sein
Schlechtes verdeckt.   (Br. 103)

                                          15. August 1912
Alte Tagebücher wieder gelesen, statt diese Dinge von mir abzu-
halten. Ich lebe so unvernünftig wie nur möglich. An allem aber ist
die Herausgabe der einunddreißig Seiten schuld. Noch mehr schuld
allerdings meine Schwäche, die es erlaubt, daß Derartiges auf mich
Einfluß hat. Statt mich zu schütteln, sitze ich da und denke nach,
wie ich das alles möglichst beleidigend ausdrücken könnte. Aber
meine schreckliche Ruhe stört mir die Erfindungskraft.   (T. 283 f.)

                                          20. August 1912
Wenn Rowohlt es zurückschickte und ich alles wieder einsperren
und ungeschehen machen könnte, so daß ich bloß so unglücklich
wäre wie früher.   (T. 285)

                                          30. August 1912
Absendung des Buches an Rowohlt [. . .]   (T. 286)

Kafka an den Rowohlt-Verlag   Prag, am 7. September 1912
Da ich mir die geschäftlichen Aussichten der Veröffentlichung einer
derartigen kleinen ersten Arbeit beiläufig vorstellen kann, bin ich
gerne mit den Bedingungen einverstanden, die Sie mir selbst stellen
wollen, solche Bedingungen, die Ihr Risiko möglichst einschränken,
werden auch mir die liebsten sein. – Ich habe vor den Büchern, die

ich aus Ihrem Verlage kenne, zuviel Respekt, um mich mit Vorschlägen wegen dieses Buches einzumischen, nur bitte ich um die größte Schrift, die innerhalb jener Absichten möglich ist, die Sie mit dem Buch haben. Wenn es möglich wäre, das Buch als einen dunklen Pappband einzurichten, mit getöntem Papier, etwa nach der Art des Papieres der Kleistanekdoten, so wäre mir das sehr recht, allerdings wieder nur unter der Voraussetzung, daß es Ihren sonstigen Plan nicht stört. (Br. 103 f.)

Kafka an den Rowohlt-Verlag   Prag, am 25. September 1912
In der Beilage erlaube ich mir Ihnen das eine Vertragsformular, unterschrieben, mit bestem Danke zurückzuschicken. Ich hielt es deshalb paar Tage zurück, weil ich Ihnen gleichzeitig eine bessere Lesart für das Stückchen »Der plötzliche Spaziergang« mitschicken wollte, denn in dem bisherigen Schluß des ersten Absatzes steckt eine Stelle, die mich anwidert. Leider habe ich diese bessere Lesart noch nicht ganz, schicke sie aber bestimmt in den nächsten Tagen.
Noch eine Bitte: Da im Vertrag der Erscheinungstermin nicht genannt ist – ich lege auch nicht den geringsten Wert darauf, daß es geschieht – da ich aber natürlich sehr gerne wüßte, wann Sie das Buch herauszugeben beabsichtigen, bitte ich Sie so freundlich zu sein, und es mir bei Gelegenheit zu schreiben. (Br. 105)

Kafka an Felice   Prag, 28. IX. 12
Mein Buch, Büchlein, Heftchen ist glücklich angenommen. Es ist aber nicht sehr gut, es muß Besseres geschrieben werden. (F. 46)

Kafka an den Rowohlt-Verlag   Prag, am 6. Oktober 1912
In der Beilage übersende ich Ihnen die bessere Lesart des Stückchens »Der plötzliche Spaziergang«, die Sie an Stelle der bisherigen freundlichst in das Manuskript einlegen wollen.
Gleichzeitig bitte ich neuerlich um die vor einiger Zeit schon erbetene Auskunft über den Erscheinungstermin, den Sie für die »Betrachtung« in Aussicht genommen haben. (Br. 106)

Kafka an den Rowohlt-Verlag   Prag, am 18. Oktober 1912
Die Satzprobe, die Sie so freundlich waren, mir zu schicken, ist

allerdings wunderschön. Ich kann gar nicht genug eilig und genug rekommandiert diesem Druck zustimmen und danke Ihnen von Herzen für die Teilnahme, die Sie dem Büchlein erweisen.

Die Seitenzahlen in der Satzprobe sind hoffentlich nicht die endgiltigen, denn »Kinder auf der Landstraße« sollten das erste Stück sein. Es war eben mein Fehler, daß ich kein Inhalts-Verzeichnis mitgeschickt habe, und das Schlimme ist, daß ich diesen Fehler gar nicht gutmachen kann, da ich, abgesehen von dem Anfangsstück und dem Endstück »Unglücklich sein« die Reihenfolge nicht recht kenne, in der das Manuskript geordnet war.

»Der plötzliche Spaziergang« in verbesserter Form ist wohl richtig angekommen? (Br. 110)

Kafka an Felice [Prag,] 27. X. 12

Nun war ich nicht im geringsten darauf vorbereitet, einen Besuch [Felice Bauer] dort anzutreffen, sondern hatte nur eine Verabredung mit Max, um 8 zu kommen (ich kam wie gewöhnlich eine Stunde später) und mit ihm die Reihenfolge des Manuscripts zu besprechen, um die ich mich bis dahin gar nicht gekümmert hatte, trotzdem es am nächsten Morgen weggeschickt werden sollte.
[. . .]
Im Klavierzimmer saßen Sie mir dann gegenüber und ich fing an, mich mit meinem Manuskript auszubreiten. Es wurden mir für die Versendung von allen Seiten komische Ratschläge gegeben und ich kann nicht mehr herausfinden, welches die Ihren waren. (F. 56 ff.)

Kafka an Felice [Prag,] 8. XI. 12

Darum schreibe ich auf diesem Fließpapier, womit ich Ihnen gleichzeitig eine Satzprobe meines kleinen Buches schicke.
[. . .]
Wie gefällt Ihnen die Schriftprobe (das Papier wird natürlich anders sein)? Sie ist zweifellos ein wenig übertrieben schön und würde besser für die Gesetzestafeln Moses passen als für meine kleinen Winkelzüge. Nun wird es aber schon so gedruckt. (F. 83)

Kafka an Felice [Prag,] Nacht vom 10. zum 11. XII. 12

Die Post will sich übrigens mit uns aussöhnen. Heute brachte der

Briefträger das erste gebundene Exemplar meines Büchleins (ich schicke es Dir morgen) und hatte zum Zeichen der Zusammengehörigkeit die Rolle mit Deinem Bild in den Umbund des Buches gesteckt. (F. 175)

Kafka an Felice [Prag, 11. Dezember 1912]
Du, sei freundlich zu meinem armen Buch! Es sind ja eben jene paar Blätter, die Du mich an unserem Abend ordnen sahst. Damals wurdest Du der Einsichtnahme »nicht für würdig« befunden, närrische und rachsüchtige Liebste! Heute gehört es Dir wie keinem sonst, es müßte denn sein, daß ich es Dir aus Eifersucht aus der Hand reiße, um nur ganz allein von Dir gehalten zu werden und nicht meinen Platz mit einem alten, kleinen Buch teilen zu müssen. Ob Du wohl erkennst, wie sich die einzelnen Stückchen im Alter voneinander unterscheiden. Eines ist z. B. darunter, das ist gewiß 8–10 Jahre alt. Zeig das Ganze möglichst wenigen, damit sie Dir nicht die Lust an mir verderben. (F. 175)

Kafka an Felice [Prag,] Nacht vom 13. zum 14. XII. 12
Ich bin so glücklich, mein Buch, soviel ich daran auch auszusetzen habe (nur die Kürze ist tadellos) in Deiner lieben Hand zu wissen. (F. 180)

Kafka an Felice [Prag,] vom 29. zum 30. XII. 12
Ich weiß jetzt übrigens auch genauer, warum mich der gestrige Brief so eifersüchtig gemacht hat: Dir gefällt mein Buch ebensowenig wie Dir damals mein Bild gefallen hat. Das wäre ja nicht so arg, denn was dort steht, sind zum größten Teil alte Sachen, aber immerhin doch noch immer ein Stück von mir und also ein Dir fremdes Stück von mir. Aber das wäre gar nicht arg, ich fühle Deine Nähe so stark in allem übrigen, daß ich gern bereit bin, wenn ich Dich eng neben mir habe, das kleine Buch *zuerst* mit *meinem* Fuße wegzustoßen. Wenn Du mich in der Gegenwart lieb hast, mag die Vergangenheit bleiben, wo sie will, und wenn es sein muß, so ferne wie die Angst um die Zukunft. Aber daß Du es mir nicht sagst, daß Du mir nicht mit zwei Worten sagst, daß es Dir nicht gefällt. – Du müßtest ja nicht sagen, daß es Dir nicht gefällt (das wäre ja wahrscheinlich

auch nicht die Wahrheit), sondern daß Du Dich bloß darin nicht zurechtfindest. Es ist ja wirklich eine heillose Unordnung darin oder vielmehr: es sind Lichtblicke in eine unendliche Verwirrung hinein und man muß schon sehr nahe herantreten, um etwas zu sehn. Es wäre also nur sehr begreiflich, wenn Du mit dem Buch nichts anzufangen wüßtest, und die Hoffnung bliebe ja, daß es Dich in einer guten und schwachen Stunde doch noch verlockt. Es wird ja niemand etwas damit anzufangen wissen, das ist und war mir klar, – das Opfer an Mühe und Geld, das mir der verschwenderische Verleger gebracht hat und das ganz und gar verloren ist, quält mich ja auch, – die Herausgabe ergab sich ganz zufällig, vielleicht erzähle ich Dir das einmal bei Gelegenheit, mit Absicht hätte ich nie daran gedacht. (F. 218)

Gespräch Kafkas mit Max Brod   [Ende 1912–Anfang 1913]
Als sein erstes Buch ›Betrachtungen‹ bei Wolff erschienen war, sagte er mir: »Elf Bücher wurden bei André⁶ abgesetzt. Zehn habe ich selbst gekauft. Ich möchte nur wissen, wer das elfte hat.«

(B. ü. K. 368)

Kafka an Felice   [Prag,] vom 2. zum 3. I. 1913
Wegen meines Buches mache Dir keine Sorgen, mein Gerede letzthin war die traurige Laune eines traurigen Abends. Ich glaubte damals, die beste Methode mein Buch Dir angenehm zu machen sei die, Dir dumme Vorwürfe zu machen. Lies es nur bei Gelegenheit und in Ruhe. Wie könnte es Dir schließlich fremd bleiben! Selbst wenn Du Dich zurückhieltest, es müßte Dich an sich reißen, wenn es mein guter Abgesandter ist. (F. 227)

Kafka an Felice   [Prag,] vom 31. [Januar] zum 1. II. 13
Wenn man in solcher Verfassung ist, kann einen nichts lustig machen, als wenn man einen Brief mit solchen Zumutungen bekommt, wie ich ihn heute von Stoessl⁷ bekam. Er schreibt auch über mein Buch, aber mit so vollständigem Mißverständnis, daß ich einen

6 Prager Buchhandlung
7 Otto Stoessl, österreichischer Erzähler und Essayist.

Augenblick geglaubt habe, mein Buch sei wirklich gut, da es selbst
bei einem so einsichtigen und literarisch vielgeprüften Mann wie
Stoessl solche Mißverständnisse erzeugen kann, wie man sie
Büchern gegenüber für gar nicht möglich halten sollte und wie sie
nur gegenüber lebenden und deshalb vieldeutigen Menschen möglich sind. Als einzige Erklärung bleibt, daß er das Buch flüchtig oder
stellenweise oder (was allerdings bei dem Eindruck der Treue, die
sein Wesen in jeder Äußerung macht, unwahrscheinlich ist) gar
nicht gelesen hat. Ich schreibe hier die betreffende Stelle für Dich
ab, seine Schrift ist nämlich ganz unlesbar und wenn Du nach vieler
Mühe auch glauben würdest, sie lesen zu können, würdest Du gewiß mit mißverständlichen Deutungen lesen. Er schreibt: »Ich habe
Ihr äußerlich und innerlich gleich schön geratenes Buch sofort und
in einem Zuge gelesen und mich an der eigentümlichen schweben-
den Gehaltenheit und leichten, innersten Heiterkeit der kleinen
Denkmäler kleiner, großer Augenblicke sehr erfreut. Es ist ein besonders schicklicher, sozusagen nach innen gerichteter Humor darin, nicht anders, als man nach einer gut durchschlafenen Nacht,
nach erquickendem Bad, frisch angezogen, einen freien sonnigen
Tag mit froher Erwartung und unbegreiflichem Kraftgefühl be-
grüßt. Ein Humor der guten eigenen Verfassung. Es könnte keine
bessere Bedingung eines Autors selbst, keine schönere Bürgschaft
für ihn gedacht werden, als dieser lautere Stimmungsinhalt seiner
ersten Sachen.« Es bleibt übrigens noch eine Erklärung für dieses
Urteil, die ich oben vergessen habe, nämlich die, daß ihm das Buch
nicht gefällt, was bei der Mischung seines Wesens leicht zu denken
wäre. Der Brief paßt übrigens ganz gut zu einer heute erschienenen,
übertrieben lobenden Besprechung, die in dem Buch nur Trauer
findet. [8]   (F. 278 f.)

Kafka an Felice   [Prag,] vom 14. zum 15. II. 13
Heute mittag hätte ich ein Loch gebraucht, um mich darin zu ver-
stecken; ich habe nämlich im neuen Heft des »März« die Bespre-

8 Die Rezension der »Betrachtung« von Otto Pick in der »Deutschen Zeitung Bohemia«. (Zu Pick vgl. Anm. 1 S. 82) Wiederab-
druck in »Kafka-Symposion«. Berlin 1965.

chung meines Buches von Max gelesen; ich wußte, daß sie erscheinen wird, aber ich kannte sie nicht. Es sind schon paar Besprechungen erschienen, natürlich nur von Bekannten, nutzlos in ihrem
übertriebenen Lob, nutzlos in ihren Anmerkungen und nur als Zeichen der irregeleiteten Freundschaftlichkeit, der Überschätzung des
gedruckten Wortes, des Mißverstehens des Verhältnisses der All-
gemeinheit zur Literatur zu erklären. Sie haben dies schließlich mit
der größten Anzahl der Kritiken überhaupt gemeinschaftlich und
wären sie nicht ein trauriger, allerdings bald sich verbrauchender
Stachel für die Eitelkeit, man könnte sie ruhig gelten lassen. Maxens
Besprechung aber übersteigt alle Berge. Weil eben die Freundschaft,
die er für mich fühlt, im Menschlichsten, noch weit unter dem Beginn der Literatur, ihre Wurzel hat und daher schon mächtig ist,
ehe die Literatur nur zu Atem kommt, überschätzt er mich in einer
solchen Weise, die mich beschämt und eitel und hochmütig macht,
während er natürlich bei seiner Kunsterfahrung und eigenen Kraft
das wahre Urteil, das nichts als Urteil ist, geradezu um sich gelagert
hat. Trotzdem schreibt er so. Wenn ich selbst arbeiten würde, im
Fluß der Arbeit wäre und von ihr getragen, ich müßte mir über die
Besprechung keine Gedanken machen, ich könnte Max in Gedanken für seine Liebe küssen, und die Besprechung selbst würde mich
gar nicht berühren! So aber – Und das Schreckliche ist, daß ich mir
sagen muß, daß ich zu Maxens Arbeiten nicht anders stehe als er
zu den meinen, nur daß ich mir dessen manchmal bewußt bin, er
dagegen nie. (F. 300)

Kafka an Felice   [Prag,] vom 18. zum 19. II. 13
Und Maxens Lob! Er lobt ja nicht eigentlich mein Buch, dieses
Buch liegt ja vor, das Urteil wäre nachzuprüfen, wenn einer Lust
dazu haben sollte; aber er lobt vor allem mich, und das ist das
Lächerlichste von allem. Wo bin ich denn? Wer kann mich nach-
prüfen? Ich wünschte mir eine kräftige Hand nur zu dem Zweck,
um in diese unzusammenhängende Konstruktion, die ich bin, ordentlich hineinzufahren. Und dabei ist das, was ich da sage, nicht
einmal ganz genau meine Meinung, nicht einmal ganz genau meine
augenblickliche Meinung. Wenn ich in mich hineinschaue, sehe ich
soviel Undeutliches noch durcheinandergehn, daß ich nicht einmal

meinen Widerwillen gegen mich genau begründen und vollständig
übernehmen kann.   (F. 306)

[wahrscheinlich Frühjahr 1913]
Kafka an Gertrud Thieberger[9]
    [Widmung in der Erstausgabe von »Betrachtung«]
Für Fräulein Trude Thieberger mit herzlichen Grüßen und einem
Rat: In diesem Buche ist noch nicht das Sprichwort befolgt worden »In einen geschlossenen Mund kommt keine Fliege« (Schlußwort aus »Carmen« von Mérimée). Deshalb ist es voll Fliegen. Am
besten es immer zugeklappt halten.   (Br. 116 f.)

Kafka an Felice   [Prag,] 20. IV. 13
Im Berliner Tageblatt soll Mittwoch etwas ganz Hübsches über
»Betrachtung« gewesen sein, ich habe es nicht gelesen, ich habe es
erst heute erfahren[10].   (F. 368)

Kafka an Felice   [Prag, 14. August 1913]
Im »Literarischen Echo« erschien letzthin eine Besprechung von
»Betrachtung»[11]. Sie ist sehr liebenswürdig, aber an sich nicht
weiter bemerkenswert. Nur eine Stelle ist auffallend, es heißt dort
im Verlauf der Besprechung: »Kafkas Junggesellenkunst . . .« Was
sagst Du dazu, Felice?   (F. 445)

Kafka an den Verlag Kurt Wolff   [Prag,] 22. IV. 14
Ich wäre Ihnen sehr verbunden, wenn Sie ein Recensionsexemplar
von »Betrachtung« an die Adresse: František Langer[12], Prag – Kgl.
Weinberge, Nr. 679 senden würden. Langer ist ein Redakteur des
»Umělecký měsíčník«, einer führenden Monatsschrift und will ein

9 Schwester von Kafkas Hebräischlehrer. Später Frau von Johannes Urzidil.
10 Albert Ehrensteins Rezension. Wiederabgedruckt in »Kafka-
Symposion«, Berlin 1965.
11 Paul Friedrichs Rezension in »Das literarische Echo«, 15. Jg.
Heft 22.
12 Tschechischer Schriftsteller und Dramatiker.

paar Übersetzungen aus dem Buch veröffentlichen. Vielleicht sind Sie auch so freundlich und zeigen mir die erfolgte Absendung an.
(Br. 127)

Kafka an Felice [Prag,] 3. III. 14 [1915]
Warum liest Du so alte und nicht gute Bücher wie »Betrachtung«?
(F. 630)

Kafka an den Verlag Kurt Wolff Prag, am 14. III. 17
Am 20. v. M. bestätigte ich mit eingeschriebener Karte den Erhalt der Abrechnung 1917 für das Buch Betrachtung und bat, den Betrag, etwa 95 M an Frl. F. B., Technische Werkstätte, Berlin O–27, Markusstraße 52 überweisen zu wollen. Gleichzeitig fragte ich an, ob und wie die Verrechnung der zweiten Auflage des »Heizer« und des »Urteil« erfolgen werde. (Br. 155)

Kafka an Max Brod [Zürau, Anfang November 1917]
Von Wolff heute Abrechnung über 102 Stück »Betrachtung« 16/17, erstaunlich viel, aber die durch Dich versprochene Abrechnung schickt er nicht, auch über »Landarzt« nichts. (Br. 192)

22. Januar 1922
Die Bemerkung hinsichtlich der »Junggesellen der Erinnerung« war hellseherisch, allerdings Hellseherei unter sehr günstigen Voraussetzungen. Die Ähnlichkeit mit O. R. [13] ist aber noch darüber hinaus verblüffend: beide still (ich weniger), beide von den Eltern abhängig (ich mehr), mit dem Vater verfeindet, von der Mutter geliebt (er noch zu dem schrecklichen Zusammenleben mit dem Vater verurteilt, freilich auch der Vater verurteilt), beide schüchtern, überbescheiden (er mehr), beide als edle gute Menschen angesehn, wovon bei mir nichts und meines Wissens auch bei ihm nicht viel zu finden war (Schüchternheit, Bescheidenheit, Ängstlichkeit gilt als edel und gut, weil sie den eigenen expansiven Trieben wenig Widerstand entgegensetzt), beide zuerst hypochondrisch, dann wirklich krank, beide als Nichtstuer von der Welt ziemlich gut erhalten (er,

13 Onkel Rudolf (Löwy), ein Bruder von Kafkas Mutter.

weil er ein kleinerer Nichtstuer war, viel schlechter erhalten, soweit man bis jetzt vergleichen kann), beide Beamte (er ein besserer), beide allereinförmigst lebend, ohne Entwicklung jung bis zum Ende, richtiger als jung ist der Ausdruck konserviert, beide nahe am Irrsinn, er, fern von Juden, mit ungeheurem Mut, mit ungeheurer Sprungkraft (an der man die Größe der Irrsinnsgefahr ermessen kann), in der Kirche gerettet, bis zum Ende noch, soweit man sehen konnte, lose gehalten, er selbst hielt sich wohl schon Jahre lang nicht. Ein Unterschied zu seinen Gunsten oder Ungunsten war, daß er eine kleinere künstlerische Begabung hatte als ich, also in der Jugend einen bessern Weg hätte wählen können, nicht so zerrissen war, auch durch Ehrgeiz nicht. Ob er um Frauen (mit sich) gekämpft hat, weiß ich nicht, eine Geschichte, die ich von ihm gelesen habe, deutete darauf hin, auch erzählte man, als ich ein Kind war, etwas dergleichen. Ich weiß viel zu wenig von ihm, danach zu fragen wage ich nicht. Übrigens schrieb ich bis hierher leichtsinnig über ihn wie über einen Lebenden. Es ist auch unwahr, daß er nicht gut war, ich habe an ihm keine Spur von Geiz, Neid, Haß, Gier bemerkt; um selbst helfen zu können, war er wahrscheinlich zu gering. Er war unendlich viel unschuldiger als ich, hier gibt es keinen Vergleich. Er war in Einzelheiten eine Karikatur von mir, im wesentlichen aber bin ich seine Karikatur.

(T. 558 f.)

Der Prozeß
zweite Hälfte 1914
Erstdruck: Berlin 1925

15. August 1914

Ich schreibe seit ein paar Tagen, möchte es sich halten. So ganz geschützt und in die Arbeit eingekrochen, wie ich es vor zwei Jahren war, bin ich heute nicht, immerhin habe ich doch einen Sinn bekommen, mein regelmäßiges, leeres, irrsinniges junggesellenmäßiges Leben hat eine Rechtfertigung. Ich kann wieder ein Zwiegespräch mit mir führen und starre nicht so in vollständige Leere. Nur auf diesem Wege gibt es für mich eine Besserung.   (T. 422)

21. August 1914

Mit solchen Hoffnungen angefangen und von allen drei Geschichten zurückgeworfen, heute am stärksten. Vielleicht ist es richtig, daß die russische Geschichte [1] nur immer nach dem »Prozeß« gearbeitet werden durfte. In dieser lächerlichen Hoffnung, die sich offenbar nur auf eine mechanische Phantasie stützt, fange ich wieder den »Prozeß« an. – Ganz nutzlos war es nicht.   (T. 435)

29. August 1914

Schluß eines Kapitels mißlungen, ein anderes schön begonnenes Kapitel werde ich kaum, oder vielmehr ganz bestimmt nicht so schön weiterführen können, während es mir damals in der Nacht sicher gelungen wäre. Ich darf mich aber nicht verlassen, ich bin ganz allein.   (T. 436)

1. September 1914

In gänzlicher Hilfslosigkeit kaum zwei Seiten geschrieben. Ich bin

[1] »Erinnerungen an die Kaldabahn« (vgl. T. 422 ff.).

heute sehr stark zurückgewichen, trotzdem ich gut geschlafen hatte. Aber ich weiß, daß ich nicht nachgeben darf, wenn ich über die untersten Leiden des schon durch meine übrige Lebensweise niedergehaltenen Schreibens in die größere, auf mich vielleicht wartende Freiheit kommen will. (T. 436)

13. September 1914

Wieder kaum zwei Seiten. Zuerst dachte ich, die Traurigkeit über die österreichischen Niederlagen und die Angst vor der Zukunft (eine Angst, die mir im Grunde lächerlich und zugleich infam vorkommt) werden mich überhaupt am Schreiben hindern. Das war es nicht, nur ein Dumpfsein, das immer wieder kommt und immer wieder überwunden werden muß. (T. 437)

7. Oktober 1914

Ich habe mir eine Woche Urlaub genommen, um den Roman vorwärtszutreiben. Es ist bis heute – heute ist Mittwoch nacht, Montag geht mein Urlaub zu Ende – mißlungen. Ich habe wenig und schwächlich geschrieben. Allerdings war ich schon in der vorigen Woche im Niedergang; daß es aber so schlimm werden würde, konnte ich nicht voraussehn. Erlauben diese drei Tage schon Schlüsse darauf, daß ich nicht würdig bin, ohne Bureau zu leben? (T. 437 f.)

15. Oktober 1914

Vierzehn Tage gute Arbeit, zum Teil vollständiges Begreifen meiner Lage. (T. 438)

21. Oktober 1914

Seit vier Tagen fast nichts gearbeitet, immer nur eine Stunde und nur ein paar Zeilen [...] (T. 440)

25. Oktober 1914

Fast vollständiges Stocken der Arbeit. Das was geschrieben wird, scheint nichts Selbständiges, sondern der Widerschein guter früherer Arbeit. (T. 440 f.)

1. November 1914
Gestern nach langer Zeit ein gutes Stück vorwärtsgekommen, heute wieder fast nichts, die vierzehn Tage seit meinem Urlaub sind fast gänzlich verloren. (T. 441)

3. November 1914
[...] nichts mehr gearbeitet, zum Teil auch deshalb, weil ich mich fürchtete, eine gestern geschriebene erträgliche Stelle zu verderben. Der vierte Tag seit August, an dem ich gar nichts geschrieben habe. (T. 442)

30. November 1914
Ich kann nicht mehr weiterschreiben. Ich bin an der endgültigen Grenze, vor der ich vielleicht wieder jahrelang sitzen soll, um dann vielleicht wieder eine neue, wieder unfertig bleibende Geschichte anzufangen. Diese Bestimmung verfolgt mich. Ich bin auch wieder kalt und sinnlos, nur die greisenhafte Liebe für die vollständige Ruhe ist geblieben. Und wie irgendein gänzlich von Menschen losgetrenntes Tier schaukele ich schon wieder den Hals und möchte versuchen, für die Zwischenzeit wieder F. [elice] zu bekommen. Ich werde es auch wirklich versuchen, falls mich die Übelkeit vor mir selbst nicht daran hindert. (T. 444)

2. Dezember 1914
Unbedingt weiterarbeiten, traurig, daß es heute nicht möglich ist, denn ich bin müde und habe Kopfschmerzen, hatte sie auch andeutungsweise vormittag im Bureau. Unbedingt weiterarbeiten, es muß möglich sein, trotz Schlaflosigkeit und Bureau. (T. 445)

8. Dezember 1914
Gestern zum erstenmal seit längerer Zeit in zweifelloser Fähigkeit zu guter Arbeit. Und doch nur die erste Seite des Mutterkapitels geschrieben, da ich schon zwei Nächte fast gar nicht geschlafen hatte, da sich schon am Morgen Kopfschmerzen gezeigt hatten und da ich vor dem nächsten Tag allzugroße Angst hatte. Wieder eingesehn, daß alles bruchstückweise und nicht im Laufe des größten

Teiles der Nacht (oder gar in ihrer Gänze) Niedergeschriebene minderwertig ist und daß ich zu diesem Minderwertigen durch meine Lebensverhältnisse verurteilt bin. (T. 447)

13. Dezember 1914

Statt zu arbeiten – ich habe nur eine Seite geschrieben (Exegese der Legende) – in fertigen Kapiteln gelesen und sie zum Teil gut gefunden. Immer im Bewußtsein, daß jedes Zufriedenheits- und Glücksgefühl, wie ich es zum Beispiel besonders der Legende gegenüber habe, bezahlt werden muß, und zwar, um niemals Erholung zu gönnen, im Nachhinein bezahlt werden muß.

(T. 448)

14. Dezember 1914

Jämmerliches Vorwärtskriechen der Arbeit, vielleicht an ihrer wichtigsten Stelle, dort wo eine gute Nacht so notwendig wäre.

(T. 449)

31. Dezember 1914

Seit August gearbeitet, im allgemeinen nicht wenig und nicht schlecht, aber weder in ersterer noch in letzterer Hinsicht bis an die Grenzen meiner Fähigkeit, wie es hätte sein müssen, besonders, da meine Fähigkeit aller Voraussicht nach (Schlaflosigkeit, Kopfschmerzen, Herzschwäche) nicht mehr lange andauern wird. Geschrieben an Unfertigem: »Der Prozeß«, »Erinnerungen an die Kaldabahn«, »Der Dorfschullehrer«, »Der Unterstaatsanwalt« und kleinere Anfänge. An Fertigem nur: »In der Strafkolonie« und ein Kapitel des »Verschollenen«, beides während des vierzehntägigen Urlaubs. Ich weiß nicht, warum ich diese Übersicht mache, es entspricht mir gar nicht! (T. 453)

20. Januar 1915

Ich habe ihr [Felice] auch vorgelesen, widerlich gingen die Sätze durcheinander, keine Verbindung mit der Zuhörerin, die mit geschlossenen Augen auf dem Kanapee lag und es stumm aufnahm. Eine laue Bitte, ein Manuskript mitnehmen und abschreiben zu dürfen. Bei der Türhütergeschichte größere Aufmerksamkeit und

gute Beobachtung. Mir ging die Bedeutung der Geschichte erst auf,
auch sie erfaßte sie richtig, dann allerdings fuhren wir mit groben
Bemerkungen in sie hinein, ich machte den Anfang.   (T. 460)

Kafka an Max Brod   [Zürau, Mitte November 1917]
Der nächste Ausweg, der sich, vielleicht schon seit den Kinder-
jahren, anbot, war, nicht der Selbstmord, sondern der Gedanke an
ihn. In meinem Fall war es keine besonders zu konstruierende Feigheit, die mich vom Selbstmord abhielt, sondern nur die gleichfalls
in Sinnlosigkeit endigende Überlegung: »Du, der Du nichts tun
kannst, willst gerade dieses tun? Wie kannst Du den Gedanken
wagen? Kannst Du Dich morden, mußt Du es gewissermaßen nicht
mehr. U. s. w.« Später kam langsam noch andere Einsicht hinzu,
an Selbstmord hörte ich auf zu denken. Was mir nun bevorstand,
war, wenn ich es über verwirrte Hoffnungen, einsame Glück-
zustände, aufgebauschte Eitelkeiten hinweg klar dachte (dieses
»hinweg« gelang mir ja eben nur so selten, als das Am-Leben-Blei-
ben es vertrug): ein elendes Leben, elender Tod. »Es war, als sollte
die Scham ihn überleben« ist etwa das Schlußwort des Prozeß-
romans.   (Br. 195)

Kafka an Max Brod   [Prag, Ende Dezember 1917]
Die Romane lege ich nicht bei. Warum die alten Anstrengungen
aufrühren? Nur deshalb weil ich sie bisher nicht verbrannt habe?
[...] wenn ich nächstens komme, geschieht es hoffentlich. Worin
liegt der Sinn des Aufhebens solcher ›sogar‹ künstlerisch mißlunge-
ner Arbeiten? Darin, daß man hofft, daß sich aus diesen Stückchen
ein Ganzes zusammensetzen wird, irgendeine Berufungsinstanz, an
deren Brust ich werde schlagen können, wenn ich in Not bin. Ich
weiß, daß das nicht möglich ist, daß von dort keine Hilfe kommt.
Was soll ich also mit den Sachen? Sollen die, die mir nicht helfen
können, mir auch noch schaden, wie es, dieses Wissen vorausgesetzt, sein muß?   (Br. 216 f.)

Gespräch Kafkas mit Max Brod   [nach 1917]
[...] Kafka [hat] dem Roman im Gespräch stets den Titel »Der
Prozeß« gegeben.   (P. 322)

Gespräch Kafkas mit Max Brod   [nach 1917]
Franz Kafka hat den Roman als unvollendet betrachtet. Vor dem
Schlußkapitel, das vorliegt, sollten noch einige Stadien des geheim-
nisvollen Prozesses geschildert werden. Da aber der Prozeß nach
der vom Dichter mündlich geäußerten Ansicht niemals bis zur
höchsten Instanz vordringen sollte, war in einem gewissen Sinne
der Roman überhaupt unvollendbar, das heißt in infinitum fort-
setzbar.   (P. 322 f.)

Aus Kafkas »Brief an den Vater«   [November 1919]
Hier genügt es übrigens, an Früheres zu erinnern: Ich hatte vor Dir
das Selbstvertrauen verloren, dafür ein grenzenloses Schuldbewußt-
sein eingetauscht. (In Erinnerung an diese Grenzenlosigkeit schrieb
ich von jemandem einmal richtig: »Er fürchtet, die Scham werde
ihn noch überleben.«)   (H. 196)

                                            27. Januar 1922
Trotzdem ich dem Hotel deutlich meinen Namen geschrieben habe,
trotzdem auch sie mir zweimal schon richtig geschrieben haben,
steht doch unten auf der Tafel Josef K. Soll ich sie aufklären oder
soll ich mich von ihnen aufklären lassen?   (T. 564)

In der Strafkolonie
Anfang Oktober 1914
Erstdruck: Leipzig 1919

2. Dezember 1914
Nachmittag bei Werfel mit Max und Pick[1]. »In der Strafkolonie«
vorgelesen, nicht ganz unzufrieden, bis auf die überdeutlichen un-
verwischbaren Fehler. (T. 444)

Kafka an den Verlag Kurt Wolff   Prag, am 10. August 1916
Aus der mich betreffenden Bemerkung in einem Brief an Max Brod
sehe ich, daß auch Sie daran sind, von dem Gedanken an die Herausgabe des Novellenbuches abzugehn. Ich gebe Ihnen unter den
gegenwärtigen Verhältnissen durchaus Recht, denn es ist jedenfalls
höchst unwahrscheinlich, daß Sie das verkäufliche Buch, das Sie
wollen, mit diesem Buch erhalten würden. Dagegen wäre ich sehr
damit einverstanden, daß die »Strafkolonie« im »Jüngsten Tag«
herauskommt, dann aber nicht nur die »Strafkolonie« sondern auch
das »Urteil« aus der »Arkadia«, und zwar jede Geschichte in einem
eigenen Bändchen. In dieser letzteren Art der Herausgabe liegt für
mich der Vorteil gegenüber dem Novellenbuch, daß nämlich jede
Geschichte selbständig angesehen werden kann und wirkt. Falls
Sie mir zustimmen, würde ich bitten, daß zuerst das »Urteil«, an
dem mir mehr als an dem andern gelegen ist, erscheint; die »Strafkolonie« kann dann nach Belieben folgen. Das »Urteil« ist allerdings klein, aber kaum wesentlich kleiner als »Aissé« oder »Schuhlin«[2]; im Druck der »Fledermäuse« dürfte es über 30 Seiten haben,
die »Strafkolonie« über 70 Seiten. (Br. 147 f.)

1 Otto Pick, Prager Journalist, Erzähler, Lyriker, Übersetzer aus
dem Tschechischen.
2 »Schuhlin«, Erzählung von Carl Sternheim.

Kafka an Felice   [Prag,] 10. X. 16
Was München³ betrifft [...] Ich würde, wenn es geht, die Geschichte lesen, die Du noch nicht kennst. »In der Strafkolonie«, so
heißt sie.   (F. 722)

Kafka an Kurt Wolff   Prag, 11. X. 16
Ihre freundlichen Worte über mein Manuskript sind mir sehr angenehm eingegangen. Ihr Aussetzen des Peinlichen trifft ganz mit
meiner Meinung zusammen, die ich allerdings in dieser Art fast
gegenüber allem habe, was bisher von mir vorliegt. Bemerken Sie,
wie wenig in dieser oder jener Form von diesem Peinlichen frei ist!
Zur Erklärung dieser letzten Erzählung füge ich nur hinzu, daß
nicht nur sie peinlich ist, daß vielmehr unsere allgemeine und
meine besondere Zeit gleichfalls sehr peinlich war und ist und
meine besondere sogar noch länger peinlich als die allgemeine.
Gott weiß wie tief ich auf diesem Weg gekommen wäre, wenn ich
weitergeschrieben hätte oder besser, wenn mir meine Verhältnisse
und mein Zustand das, mit allen Zähnen in allen Lippen, ersehnte
Schreiben erlaubt hätten. Das haben sie aber nicht getan. So wie
ich jetzt bin, bleibt mir nur übrig auf Ruhe zu warten, womit ich
mich ja, wenigstens äußerlich als zweifelloser Zeitgenosse darstelle.
Auch damit stimme ich ganz überein, daß die Geschichte nicht in
den »Jüngsten Tag« kommen soll. Allerdings wohl auch nicht in
den Vorlesesaal Goltz, wo ich sie im November vorlesen will und
hoffentlich auch vorlesen werde. Ihr Angebot, das Novellenbuch
herauszugeben, ist außerordentlich entgegenkommend, doch glaube
ich, daß (insbesondere da jetzt das »Urteil« dank Ihrer Freundlich-
keit besonders erscheint) das Novellenbuch nur als naher Vor-
oder Nachläufer einer neuen größeren Arbeit eigentlichen Sinn
hätte, augenblicklich also nicht.   (Br. 150 f.)

Kafka an Felice   [Prag,] 27. Oktober 16
Die einzige absehbare Verhinderung meiner Vorlesung wären jetzt
nur Schwierigkeiten, welche die Münchner Zensur machen könnte.
Ich wüßte allerdings nicht, was sie einwenden könnte.   (F. 735)

3 Münchener Autorenvorlesung am 10. November 1916.

Kafka an Felice   [Prag,] 3. XI. 16
Die Genehmigung ist allerdings noch nicht ganz gesichert, die
Manuskripte sind ja erst Montag dort angekommen. Es macht
mich noch immer nervös und um die Wahrheit zu sagen, ich kann
mir gar nicht vorstellen, daß es genehmigt wird, so unschuldig es
in seinem Wesen ist.   (F. 739)

Kafka an Felice   [Postkarte, Stempel: Prag, 7. Dezember 1916]
Ich habe mein Schreiben zu einem Vehikel nach München, mit dem
ich sonst nicht die geringste geistige Verbindung habe, mißbraucht
und habe nach 2jährigem Nichtschreiben den phantastischen Übermut gehabt, öffentlich vorzulesen, während ich seit 1½ Jahren in
Prag meine[n] besten Freunden nichts vorgelesen habe. Übrigens
habe ich mich in Prag auch noch an Rilkes Worte erinnert. Nach
etwas sehr Liebenswürdigem über den Heizer meinte er, weder in
Verwandlung noch in Strafkolonie sei diese Konsequenz wie dort
erreicht. Die Bemerkung ist nicht ohne weiteres verständlich, aber
einsichtsvoll[4].   (F. 744)

Kafka an Gottfried Kölwel[5]   Prag, 3. Januar 16 [1917]
Ich las die Gedichte dort unter ungewöhnlichen Umständen. Ich
war hingekommen mit meiner Geschichte als Reisevehikel, in eine
Stadt, die mich außer als Zusammenkunftsort und als trostlose
Jugenderinnerung gar nichts anging, las dort meine schmutzige
Geschichte in vollständiger Gleichgültigkeit, kein leeres Ofenloch
kann kälter sein [...]   (Br. 153)

Kafka an Kurt Wolff   Prag, 4. September 1917
Hinsichtlich der Strafkolonie besteht vielleicht ein Mißverständnis.
Niemals habe ich aus ganz freiem Herzen die Veröffentlichung die-
ser Geschichte verlangt. Zwei oder drei Seiten kurz vor ihrem
Ende sind Machwerk, ihr Vorhandensein deutet auf einen tieferen
Mangel, es ist da irgendwo ein Wurm, der selbst das Volle der Ge-

4 Da »Die Strafkolonie« damals noch nicht veröffentlicht war,
kann nur angenommen werden, daß Rilke sie im Manuskript gelesen hatte.
5 Schriftsteller und Lyriker.

schichte hohl macht. Ihr Angebot, diese Geschichte in gleicher Weise wie den Landarzt erscheinen zu lassen, ist natürlich sehr verlockend und kitzelt so, daß es mich fast wehrlos macht – trotzdem bitte ich, die Geschichte, wenigstens vorläufig, nicht herauszugeben. Stünden Sie auf meinem Standpunkt und sähe Sie die Geschichte so an, wie mich, Sie würden in meiner Bitte keine besondere Standhaftigkeit erkennen. Im übrigen: Halten meine Kräfte halbwegs aus, werden Sie bessere Arbeiten von mir bekommen, als es die Strafkolonie ist. (Br. 159)

Kafka an Kurt Wolff [Prag, 11. November 1918]
Fast mit dem ersten Federstrich nach einem langen Zu-Bettliegen danke ich Ihnen herzlichst für Ihr freundliches Schreiben. Hinsichtlich der Veröffentlichung der »Strafkolonie« bin ich mit allem gerne einverstanden, was Sie beabsichtigen. Das Manuscript habe ich bekommen, ein kleines Stück herausgenommen und schicke es heute wieder an den Verlag zurück. (Br. 245)

Kafka an den Verlag Kurt Wolff [Prag,] 11. XI. 18
Gleichzeitig schicke ich Ihnen express-rekommando das Manuscript der »Strafkolonie« mit einem Brief. (Br. 246)

Kafka an den Verlag Kurt Wolff [Prag, November 1918]
In der Beilage schicke ich das etwas gekürzte Manuscript der »Strafkolonie«. Mit den Absichten des Herrn Kurt Wolff hinsichtlich einer Veröffentlichung bin ich völlig einverstanden.
Ich bitte Sie zu beachten, daß nach dem mit »eisernen Stachels« endigenden Absatz (Seite 28 des Manuscripts) ein größerer freier Zwischenraum, der mit Sternchen oder sonstwie auszufüllen wäre, einzuschieben ist. (Br. 246)

Kafka an Max Brod [Prag, November 1918]
Wie Du aus dem beiliegenden Brief siehst ist das Manuskript bei Wolff nicht angekommen. Ich habe – die beiliegenden Scheine sind Beweis – am gleichen Tag eine Korrespondenzkarte und das Manuskript mit Brief an Wolff geschickt. Die Karte (Wolff nennt

sie Brief) ist angekommen, das Manuskript nicht. Beides war express-rekommando geschickt. Wolltest Du es reklamieren? (Br. 246)

Gespräch Kafkas mit Gustav Janouch   [1920–23]
Ich war gerade bei Franz Kafka in der Kanzlei zu Besuch, als er von der Post ein Belegexemplar seiner Erzählung *In der Strafkolonie* bekam.
Kafka öffnete den grauen Umschlag, ohne den Inhalt zu kennen. Als er aber das schwarzgrün gebundene Buch aufschlug und seine Arbeit erkannte, geriet er sichtlich in Verlegenheit. Er öffnete die Schublade des Tisches, sah mich an, schloß die Lade und reichte mir das Buch.
»Sicherlich wollen Sie das Buch sehen.«
Ich antwortete mit einem Lächeln, öffnete den Band, betrachtete flüchtig Satz und Papier und gab ihm das Buch zurück, da ich seine Nervosität spürte.
»Es ist sehr schön ausgestattet«, bemerkte ich. »Wirklich ein repräsentativer Drugulindruck. Sie können zufrieden sein, Herr Doktor.«
»Das bin ich aber wirklich nicht«, sagte Franz Kafka und schob den Band achtlos in die Lade, welche er abschloß. »Die Veröffentlichung eines Gekritzels von mir beunruhigt mich immer.«
»Warum lassen Sie es also drucken?«
»Das ist es eben! Max Brod, Felix Weltsch, alle meine Freunde bemächtigen sich immer irgendeiner Sache, die ich geschrieben habe, und überraschen mich dann mit dem fertigen Verlagsvertrag. Ich will ihnen keine Unannehmlichkeiten bereiten, und so kommt es zum Schluß zur Herausgabe von Dingen, die eigentlich nur ganz private Aufzeichnungen oder Spielereien sind. Persönliche Belege meiner menschlichen Schwäche werden gedruckt und sogar verkauft, weil meine Freunde, mit Max Brod an der Spitze, es sich in den Kopf gesetzt haben, daraus Literatur zu machen, und ich nicht die Kraft besitze, diese Zeugnisse der Einsamkeit zu vernichten.«
Nach einer kleinen Pause sprach er mit veränderter Stimme: »Was ich hier sagte, ist natürlich nur eine Übertreibung und kleine Boshaftigkeit meinen Freunden gegenüber. In Wirklichkeit bin ich schon so verdorben und schamlos, daß ich selbst an der Herausgabe

dieser Dinge mitarbeite. Um meine Schwäche zu entschuldigen, mache ich die Umwelt stärker, als sie in Wirklichkeit ist. Das ist natürlich ein Betrug. Ich bin eben Jurist. Darum kann ich vom Bösen nicht loskommen.« (J. 47 f.)

Der Dorfschullehrer (Der Riesenmaulwurf)
Dezember 1914
Erstdruck: in »Beim Bau der chinesischen Mauer«, Berlin 1931

19. Dezember 1914

Gestern den »Dorfschullehrer« fast bewußtlos geschrieben, fürchtete mich aber, länger als bis dreiviertel zwei zu schreiben, die Furcht war begründet, ich schlief fast gar nicht, machte nur etwa drei kurze Träume durch und war dann im Bureau in entsprechendem Zustand. Gestern die Vorwürfe des Vaters wegen der Fabrik: »Du hast mich hineingetanzt.« Ging dann nach Hause und schrieb ruhig drei Stunden, im Bewußtsein dessen, daß meine Schuld zweifellos ist, wenn auch nicht so groß, wie sie der Vater darstellt. Ging heute, Samstag, nicht zum Nachtmahl, teils aus Furcht vor dem Vater, teils um die Nacht für die Arbeit ganz auszunützen, ich schrieb aber nur eine und nicht sehr gute Seite.   (T. 449 f.)

19. Dezember 1914

Anfang jeder Novelle zunächst lächerlich. Es scheint hoffnungslos, daß dieser neue, noch unfertige, überall empfindliche Organismus in der fertigen Organisation der Welt sich wird erhalten können, die wie jede fertige Organisation danach strebt, sich abzuschließen. Allerdings vergißt man hiebei, daß die Novelle, falls sie berechtigt ist, ihre fertige Organisation in sich trägt, auch wenn sie sich noch nicht ganz entfaltet hat; darum ist die Verzweiflung in dieser Hinsicht vor dem Anfang einer Novelle unberechtigt; ebenso müßten Eltern vor dem Säugling verzweifeln, denn dieses elende und besonders lächerliche Wesen hatten sie nicht auf die Welt bringen wollen. Allerdings weiß man niemals, ob die Verzweiflung, die man fühlt, die berechtigte oder die unberechtigte ist. Aber einen gewissen

88

Halt kann diese Überlegung geben, das Fehlen dieser Erfahrung hat mir schon geschadet. (T. 450)

26. Dezember 1914

Heute abend fast nichts geschrieben und vielleicht nicht mehr imstande, den »Dorfschullehrer« fortzusetzen, an dem ich jetzt eine Woche arbeitete und den ich gewiß in drei freien Nächten rein und ohne äußerliche Fehler fertiggebracht hätte, jetzt hat er, trotzdem er noch fast am Anfang ist, schon zwei unheilbare Fehler in sich und ist außerdem verkümmert. (T. 451)

Gespräche Kafkas mit Max Brod [1914/1915]
[...] die [...] Erzählung ›Der Riesenmaulwurf‹ hat Kafka gesprächsweise bald als ›Riesenmaulwurf‹, bald als ›Dorfschullehrer‹ bezeichnet. (B. ü. K. 350)

6. Januar 1915

»Dorfschullehrer« und »Unterstaatsanwalt« vorläufig aufgegeben. Aber auch fast unfähig, den »Prozeß« fortzusetzen. T. 454)

Der Unterstaatsanwalt, Fragment
1914/1915
Erstdruck: in Bd. VI »Gesammelte Werke«, Frankfurt/M., 1953

4. Januar 1915
Großer Lust, eine neue Geschichte anzufangen, nicht nachgegeben.
Es ist alles nutzlos. Kann ich die Geschichten nicht durch die Nächte
jagen, brechen sie aus und verlaufen sich, so auch jetzt »Der Unterstaatsanwalt«. Und morgen gehe ich in die Fabrik, werde nach dem
Einrücken P. s.[1] vielleicht jeden Nachmittag hingehn müssen. Damit hört alles auf.   (T. 454)

17. März 1915
Abends gestern verhältnismäßige Stille, ein wenig aussichtsvoll gearbeitet (»Unterstaatsanwalt«), heute mit Lust angefangen, plötzlich nebenan oder unter mir Unterhaltung einer Gesellschaft, so laut
und wechselnd, als umschwebe sie mich. Ein wenig mit dem Lärm
gekämpft, dann mit förmlich zerrissenen Nerven auf dem Kanapee
gelegen, nach zehn Uhr Stille, kann aber nicht mehr arbeiten.
                                                                         (T. 467)

1 Kafkas Schwager Josef Pollak, genannt Pepo.

Blumfeld, ein älterer Junggeselle
Februar 1915
Erstdruck: in Bd. V »Gesammelte Schriften«, Prag 1936

9. Februar 1915
Gestern und heute ein wenig geschrieben. Hundegeschichte.
Jetzt den Anfang gelesen. Es ist häßlich und verursacht Kopfschmerzen. Es ist trotz aller Wahrheit böse, pedantisch, mechanisch,
auf einer Sandbank ein noch knapp atmender Fisch.   (T. 462 f.)

Kafka an Felice   [Prag,] 26. Juli 16
Die Geschichte werde ich jetzt nicht schicken, es ist zu umständlich,
sie gehört Dir ebensogut, wenn sie bei mir ist.   (F. 671)

Ein Landarzt
Erstdruck: München und Leipzig 1919

Inhalt (mit Entstehungsdaten und gegebenenfalls Angaben
über Erstdrucke)

Kafka an Felice   [Prag,] 23. IX. 16
Erinnerst Du Dich an das kleine Prosastück, das im »Juden« hätte
erscheinen sollen im Anhang an einen Aufsatz von Max? Die Sendung ging damals verloren, später wurde es dann noch einmal geschickt und schließlich hat Buber, wie es auch in meinem Sinn das
allein Vernünftige war, den Aufsatz von Max mit einigen Vorbehalten angenommen, auf meinen »Traum« aber verzichtet, allerdings in einem Brief, der ehrenvoller war, als eine gewöhnliche An-
nahme hätte sein können. Ich erwähne das aus zwei Gründen:
erstens weil mich der Brief gefreut hat und zweitens um Dir an dieser Kleinigkeit in beamtenhafter Ängstlichkeit zu zeigen, wie unsicher meine materielle und geistige Existenz ist. Selbst unter der
Voraussetzung, daß ich etwas werde leisten können (ich kann vor
Unruhe keine Zeile schreiben) ist es sehr leicht möglich, daß selbst
Leute, die es mit mir gut meinen, mich abweisen werden, die andern natürlich umso mehr.   (F. 704 f.)

Max Brods Bericht   [Januar/Februar 1917]
Im ersten Oktavheft folgt hier noch eine Seite, die die erste Zusammenstellung der für den »Landarzt«-Band bestimmten Erzählungen sowie einen Briefentwurf enthält. Die Titel der damals also
wohl schon fertig vorliegenden Erzählungen lauten: Auf der
Galerie – Kastengeist – Kübelreiter – Ein Reiter – Ein Kaufmann –
Ein Landarzt – Traum – Vor dem Gesetz – Ein Brudermord – Schakale und Araber – Der neue Advokat. Die Skizze »Ein Reiter«
könnte mit dem im »Landarzt«-Band stehenden Stück »Das nächste
Dorf« identisch sein. »Kastengeist« ließe sich vielleicht als »Ein Besuch im Bergwerk« agnoszieren. »Ein Kaufmann« ist vielleicht das
Stück, das ich im Band »Beschreibung eines Kampfes« unter dem
Titel »Der Nachbar« veröffentlicht habe.   (H. 440)

Max Brods Bericht   [März/April 1917]
Wie das erste Oktavheft enthält auch dieses sechste am Schluß eine
Zusammenstellung von Titeln der für den »Landarzt« geplanten
Sammlung. Sie ist der später Wirklichkeit gewordenen Zusammen-
stellung näher als der erste Plan. Die Titel seien hier angeführt: Ein
Traum – Vor dem Gesetz – Eine kaiserliche Botschaft – Die kurze

Zeit – Ein altes Blatt – Schakale und Araber – Auf der Galerie –
Der Kübelreiter – Ein Landarzt – Der neue Advokat – Ein Brudermord – Elf Söhne. (H. 447)

Kafka an Kurt Wolff   Prag, am 7. Juli 1917
Es freut mich ungemein, wieder einmal direkt von Ihnen etwas zu
hören. Mir war in diesem Winter, der allerdings schon wieder vorüber ist, ein wenig leichter. Etwas von dem Brauchbaren aus dieser
Zeit schicke ich, dreizehn Prosastücke. Es ist weit von dem, was
ich wirklich will. (Br. 156)

Kafka an Kurt Wolff   Prag, 27. Juli 1917
Daß Sie über die Manuskripte so freundlich urteilen, gibt mir
einige Sicherheit. Falls Sie eine Ausgabe dieser kleinen Prosa (jedenfalls kämen noch zumindest zwei kleine Stücke hinzu: das in Ihrem
Almanach enthaltene »Vor dem Gesetz« und der beiliegende
»Traum«) jetzt für richtig halten, bin ich sehr damit einverstanden,
vertraue mich hinsichtlich der Art der Ausgabe Ihnen völlig an,
auch liegt mir an einem Ertrag augenblicklich nichts. (Br. 157 f.)

Kafka an Kurt Wolff   Prag, am 20. August 17
Als Titel des neuen Buches schlage ich vor: »Ein Landarzt« mit dem
Untertitel: »Kleine Erzählungen«. Das Inhaltsverzeichnis denke ich
mir etwa so: Der neue Advokat
             Ein Landarzt
             Der Kübelreiter
             Auf der Gallerie
             Ein altes Blatt
             Vor dem Gesetz
             Schakale und Araber
             Ein Besuch im Bergwerk
             Das nächste Dorf
             Eine kaiserliche Botschaft
             Die Sorge des Hausvaters
             Elf Söhne
             Ein Brudermord
             Ein Traum
             Ein Bericht für eine Akademie   (Br. 158 f.)

Kafka an Kurt Wolff   Prag, 4. September 1917
Einen schöneren Vorschlag für den Landarzt konnte ich mir nicht
wünschen. Aus Eigenem hätte ich gewiß nicht gewagt, nach jenen
Lettern zu greifen, nicht mir, nicht Ihnen und nicht der Sache gegenüber, aber da Sie selbst es mir anbieten, nehme ich es mit Freude
an. Dann wird wohl auch das schöne Format der Betrachtung an-
gewendet?   (Br. 159)

Kafka an Max Brod und Felix Weltsch   [Prag,] 5. 9. 1917
Noch einmal, ohne Durchschlag, danke ich Dir, Max, es war doch
sehr gut, daß ich hingegangen bin und ohne Dich wäre es gewiß
nicht geschehen[1]. Du sagtest dort übrigens, ich wäre leichtsinnig,
im Gegenteil, zu rechnerisch bin ich und dieser Leute Schicksal sagt
schon die Bibel voraus. Aber ich klage ja nicht, heute weniger als
sonst. Auch habe ich es selbst vorausgesagt. Erinnerst Du Dich an
die Blutwunde im »Landarzt«?   (Br. 160)

                                       25. September 1917
Zeitweilige Befriedigung kann ich von Arbeiten wie »Landarzt«
noch haben, vorausgesetzt, daß mir etwas Derartiges noch gelingt
(sehr unwahrscheinlich). Glück aber nur, falls ich die Welt ins
Reine, Wahre, Unveränderliche heben kann.   (T. 534)

Kafka an Max Brod   [Zürau, Mitte November 1917]
Damit, daß Deine Frau die Geschichte [Bericht für eine Akademie]
vorliest, bin ich natürlich einverstanden, [...].   (Br. 196)

Kafka an Elsa Brod[2]   [Zürau, Mitte November 1917]
Liebe Frau Elsa, gewiß! Vermeiden Sie aber, daß es irgendwie in
der Zeitung erwähnt wird[3]. Was Sie auch wählen, es ist ja eine
Kleinigkeit, die sich als Zugabe vielleicht eignet und sonst nicht zu

1 Bezieht sich auf den Besuch beim Arzt, da Kafkas Tuberkulose
diagnostiziert wurde.
2 Max Brods Frau.
3 Bezieht sich auf die erste öffentliche Vorlesung aus Kafkas Wer-
ken. Elsa Brod las den »Bericht für eine Akademie«.

erwähnen ist. Und sollte im Text etwas Schmutziges sein, lassen
Sie es nicht aus; wollte man wirklich reinigen, wäre ja kein Ende.
(Br. 197)

Kafka an Max Brod   [Prag, Ende Dezember 1917]
[...] hier die Manuskripte (meine einzigen) für Deine Frau, zeig
sie niemandem. Von dem Kübelreiter und dem »Alten Blatt« laß
bitte eine Abschrift auf meine Kosten machen und schicke sie mir
[...]   (Br. 216)

Kafka an den Verlag Kurt Wolff   [Zürau, 27. Januar 1918]
In der Beilage schicke ich die Korrektur zurück und bitte Folgendes
freundlichst zu beachten: Das Buch soll aus 15 kleinen Erzählungen
bestehn, deren Reihenfolge ich Ihnen vor einiger Zeit in einem
Briefe angegeben habe. Wie diese Reihenfolge war, weiß ich augenblicklich nicht auswendig, jedenfalls war aber »Landarzt« nicht
das erste Stück, sondern das zweite; das erste aber war »Der neue
Advokat«. Ich bitte jedenfalls nach der damals angegebenen Reihenfolge das Buch einzurichten. Ferner bitte ich vorne ein Widmungsblatt mit der Inschrift: »Meinem Vater« einzuschalten. Die
Korrektur des Titels, welcher lauten soll:
        Ein Landarzt
        Kleine Erzählungen
habe ich noch nicht bekommen.   (Br. 228)

Kafka an Max Brod   [Zürau, 28. Januar 1918]
Der Schriftstellerverein (der von der »Feder«) meldet mir einen un-
befugten Nachdruck des »Berichtes für eine Akademie« in einer
»Österreichischen Morgenzeitung« und will eine Ermächtigung,
ein Honorar von 30 M (gegen Rückbehaltung von 30 %) für mich
eintreiben zu dürfen. Soll ich das tun?   (Br. 230)

Kafka an Max Brod   [Zürau, Ende März 1918]
Dank für die Vermittlung bei Wolff. Seitdem ich mich entschlossen
habe, das Buch meinem Vater zu widmen, liegt mir viel daran, daß
es bald erscheint. Nicht als ob ich dadurch den Vater versöhnen
könnte, die Wurzeln dieser Feindschaft sind hier unausreißbar, aber

ich hätte doch etwas getan, wäre, wenn schon nicht nach Palästina übersiedelt, doch mit dem Finger auf der Landkarte hingefahren. Darum wollte ich, da Wolff sich so gegen mich sperrt, nicht antwortet, nichts schickt und es doch mein wahrscheinlich letztes Buch ist, die Manuskripte an Reiss 4 schicken, der sich mir freundlich angeboten hat. Ich schrieb noch einen Ultimatumbrief an Wolff, der allerdings bis jetzt auch nicht beantwortet ist, doch kam inzwischen vor etwa zehn Tagen eine neue Korrektursendung, worauf ich Reiss doch abgeschrieben habe. Soll ich es doch anderswohin geben? Inzwischen kam auch eine Einladung von Paul Cassirer 5. Woher kennt er übrigens meine Zürauer Adresse?   (Br. 237)

Kafka an den Verlag Kurt Wolff   Prag, 1. Oktober 18
Besten Dank für Ihre Mitteilungen. Verstehe ich Ihre Bemerkung über den Druck des Buches recht, so soll ich keine Korrekturen bekommen, das wäre schade. Die von Ihnen angegebene Reihenfolge der Stücke im Buch ist richtig, bis auf einen unmöglich zu belassenden Fehler: das Buch soll mit »Ein neuer Advokat« anfangen, das von Ihnen als erstes Stück genannte »Ein Mord« ist einfach wegzuwerfen, da es mit geringfügigen Unterschieden dem später richtig genannten »Ein Brudermord« gleich ist. Die Widmung des ganzen Buches »Meinem Vater« bitte ich nicht zu vergessen. Das Manuscript von »Ein Traum« liegt bei.   (Br. 245)

Kafka an den Verlag Kurt Wolff   [Prag?, 1918–1919]
Vom Buche »Landarzt« fehlte das Titel- und das Widmungsblatt. Ich bitte es vielleicht der nächsten Sendung beizulegen.   (W. 51)

Kafka an den Verlag Kurt Wolff   [Prag?, 1918–1919]
Vor einigen Tagen habe ich Ihnen, eingeschrieben, die Korrekturen von »Landarzt« und »Strafkolonie« geschickt. Vom »Landarzt« habe ich bisher nur eine Sendung bekommen.   (W. 51)

Gespräch Kafkas mit Gustav Janouch   [1920–23]
Auf der vierten Seite des gelblichen Vorsatzpapieres in meinem

4 Erich Reiss, Verleger.
5 Kunsthändler und Verleger.

Exemplar des Buches *Ein Landarzt* befindet sich folgende Eintragung: »Literatur bemüht sich, die Dinge in ein angenehmes, gefälliges Licht zu stellen. Der Dichter ist aber gezwungen, die Dinge in das Bereich der Wahrheit, Reinheit und Dauer emporzuheben. Literatur sucht Bequemlichkeit. Der Dichter aber ist ein Glücksucher, und das ist alles andere, nur nicht bequem.«

Ich weiß nicht, ob es sich hier um die Fixierung eines Ausspruches Franz Kafkas, oder um eine von mir formulierte Eintragung eines Gesprächsergebnisses handelt. (J. 84)

Gespräch Kafkas mit Gustav Janouch [1910–23]
Kafka blieb plötzlich stehen und streckte die Hand aus.

»Sehen Sie! Hier, hier! Sehen Sie es?«

Aus einem Haus der Jakobsgasse, wohin wir während des Gesprächs gelangt waren, lief ein kleiner, einem Wollknäuel ähnlicher Hund, überquerte unseren Weg und verschwand hinter der Ecke der Tempelgasse.

»Ein niedliches Hündchen«, bemerkte ich.

»Ein Hund?« fragte Kafka mißtrauisch und setzte sich langsam in Bewegung.

»Ein kleiner, junger Hund. Haben Sie ihn nicht gesehen?«

»Gesehen habe ich. Ob es aber ein Hund war?«

»Ein Pudelchen war es.«

»Ein Pudel! Das kann ein Hund, aber auch ein Zeichen sein. Wir Juden irren uns manchmal in tragischer Weise.«

»Es war nur ein Hund«, sagte ich.

»Das wäre gut«, nickte Kafka. »Doch das Nur gilt allein für den, der es gebraucht. Was für den einen ein Abfallbündel oder ein Hund ist, das ist für den anderen ein Zeichen.«

»Odradek aus der Geschichte *Die Sorge des Hausvaters*«, bemerkte ich.

Kafka reagierte aber nicht auf meine Worte, sondern sprach in der begonnenen Richtung weiter den abschließenden Satz: »Etwas geht immer über die Rechnung hinaus.« (J. 160)

27. Januar 1922
Notwendigkeit der Unabhängigkeit von dem mit Ungeschick ge-

mischten Unglück [des] doppelten Schlittens, des zerbrochenen Koffers, des wackelnden Tisches, des schlechten Lichtes, der Unmöglichkeit, im Hotel nachmittag Ruhe zu haben u. dgl. Das ist nicht zu erreichen, indem man es vernachlässigt, denn es kann nicht vernachlässigt werden, das ist nur zu erreichen durch Heranführung neuer Kräfte. Hier allerdings gibt es Überraschungen; das muß der trostloseste Mensch zugeben, es kann erfahrungsgemäß aus Nichts etwas kommen, aus dem verfallenen Schweinestall der Kutscher mit den Pferden kriechen.

[...]

Die abbröckelnden Kräfte während der Schlittenfahrt. Man kann ein Leben nicht so einrichten wie ein Turner den Handstand.

(T. 563)

Brief an den Vater
November 1919
Erstdruck: in BdV. »Gesammelte Werke«, Frankfurt a. M. 1953

Kafka an Milena [Meran, Mai 1920]
Wenn Du einmal wissen willst, wie es früher mit mir war, schicke
ich Dir von Prag den Riesenbrief, den ich vor etwa einem halben
Jahr meinem Vater geschrieben, aber noch nicht gegeben habe.

(M. 66)

Kafka an Milena [Prag, Sommer 1920]
Morgen schicke ich Dir den Vater-Brief in die Wohnung, heb ihn
bitte gut auf, ich könnte ihn vielleicht doch einmal dem Vater geben
wollen. Laß ihn womöglich niemand lesen. Und verstehe beim
Lesen alle advokatorischen Kniffe, es ist ein Advokatenbrief. Und
vergiß dabei niemals Dein großes Trotzdem. (M. 80)

Das Schloß
Januar / September 1922
Erstdruck: München 1926

Kafka an Max Brod [Planá, 20. Juli 1922]
Ich hatte also keine Zeit zu Dir zu kommen, aber ich wäre wahrscheinlich auch nicht gekommen, wenn ich Zeit gehabt hätte, allzusehr hätte ich mich geschämt für den Fall, daß Du mein Heft
schon gelesen haben solltest, dieses Heft, das ich Dir nach Deiner
Novelle zu geben gewagt hatte, obwohl ich weiß, daß es doch nur
da ist zum Geschrieben-, nicht zum Gelesenwerden. (Br. 396)

Kafka an Max Brod [Planá, Ende Juli 1922]
Deine Bemerkungen zum Roman beschämen und freuen mich, so
wie ich etwa Věra erfreue und beschäme, wenn sie, was häufig
genug geschieht, in ihrem torkelnden Gang sich unversehens auf
ihren kleinen Hintern setzt und ich sage: »Je ta Věra ale šikovná« [1].
Nun weiß sie zwar unwiderleglich, denn sie spürt es hinten, daß sie
sich unglücklich gesetzt hat, aber mein Zuruf hat solche Gewalt
über sie, daß sie glücklich zu lachen anfängt und überzeugt ist, das
Kunststück wahren Sich-Setzens soeben ausgeführt zu haben.
(Br. 401)

Kafka an Max Brod [Planá, Ankunftsstempel 11. November 1922]
[...] diese Woche habe ich nicht sehr lustig verbracht (denn ich
habe die Schloßgeschichte offenbar für immer liegen lassen müssen,
konnte sie seit dem »Zusammenbruch«, der eine Woche vor der
Reise nach Prag begann, nicht wieder anknüpfen, obwohl das in

[1] »Ist die Věra aber geschickt!« (Věra Davidová, die Tochter von
Kafkas jüngster Schwester Ottla.)

Planá Geschriebene nicht ganz so schlecht ist wie das, was Du kennst) [. . .] (Br. 413)

Gespräch Kafkas mit Max Brod [nach 1922]
Ein Abschlußkapitel hat Kafka nicht geschrieben. Doch hat er es mir einmal auf meine Frage, wie der Roman enden würde, erzählt. Der angebliche Landvermesser erhält wenigstens teilweise Genugtuung. Er läßt in seinem Kampfe nicht nach, stirbt aber vor Entkräftung. Um sein Sterbebett versammelt sich die Gemeinde, und vom Schloß langt eben die Entscheidung herab, daß zwar ein Rechtsanspruch K. s., im Dorfe zu wohnen, nicht bestand, – daß man ihm aber doch mit Rücksicht auf gewisse Nebenumstände gestatte, hier zu leben und zu arbeiten. (S. 481)

Ein Hungerkünstler
Erstdruck: Berlin 1924

Inhalt (mit Entstehungsdaten und gegebenenfalls Angaben
über Erstdrucke)

Kafka an Max Brod   [Planá, Ankunftsstempel: 26. Juni 1922]
Meine Selbstverurteilung hat zwei Ansichten, einmal ist sie Wahrheit, als solche würde sie mich glücklich machen, wenn ich die
widerliche kleine Geschichte[1] aus Wolffs Schublade nehmen und
aus seinem Gedächtnis wischen könnte, sein Brief ist mir unlesbar,
dann aber ist die Selbstverurteilung unvermeidlich auch Methode
und macht es z. B. Wolff unmöglich, in sie einzustimmen, und zwar
nicht aus Heuchelei, die er ja mir gegenüber gewiß nicht anzuwen-
den nötig hat, sondern kraft der Methode.   (Br. 375)

Kafka an Max Brod   [Planá, Ankunftsstempel: 30. Juni 1922]
Kaysers[2] Brief (ich habe ihm nicht geantwortet, es ist zu kleinlich
wegen der doch hoffnungslosen außerdeutschen Veröffentlichungen
zu schreiben) hat mich natürlich gefreut (wie leckt Not und Eitel-

1 »Erstes Leid«
2 Rudolf Kayser, Schriftsteller, Redakteur der »Neuen Rundschau«.

keit solche Dinge auf!), aber unberührt von meiner Methode ist er nicht, auch ist die Geschichte³ erträglich, ich sprach von der an Wolff geschickten Geschichte, der gegenüber ein unbefangener Mensch nicht im Zweifel sein kann. (Br. 379)

Kafka an den Verlag Kurt Wolff [Müritz, 13. Juli 1923]
»Ein Hungerkünstler« ist in der »Neuen Rundschau« im vorigen Jahr im Oktober- oder Novemberheft erschienen. (Br. 436)

Gespräch Kafkas mit Robert Klopstock [Ende März 1924]
»In diesen Tagen schrieb er die Geschichte ›Josefine oder Das Volk der Mäuse‹, und als er eines Abends das letzte Blatt der Geschichte fertiggestellt hatte, sagte er mir: ›Ich glaube, ich habe zur rechten Zeit mit der Untersuchung des tierischen Piepsens begonnen. Ich habe soeben eine Geschichte darüber fertiggestellt‹. Ich habe aber nicht den Mut gehabt, sie von ihm zu verlangen, um sie zu lesen. Noch am selben Abend sagte er mir, daß er ein komisches Brennen im Halse fühle, beim Genießen gewisser Getränke, besonders Fruchtsäfte, und er äußerte seine Besorgnis, ob nicht sein Kehlkopf auch mit angegriffen sei.« (Br. 521)

Kafka an Max Brod [Sanatorium Wiener Wald, 9. April 1924]
[...] es kostet und wird unter Umständen entsetzliches Geld kosten, Josefine muß ein wenig helfen, es geht nicht anders. Biete sie bitte Otto Pick an (aus »Betrachtung« kann er natürlich drucken, was er will), nimmt er sie, dann schicke sie bitte *später* der »Schmiede«⁴, nimmt er sie nicht, dann *gleich*. (Br. 480)

Aus den Gesprächsblättern⁵ [Ende Mai 1924]
»Die Geschichte bekommt einen neuen Titel. ›Josefine, die Sängerin – oder – Das Volk der Mäuse‹. Solche Oder-Titel sind zwar

3 vermutlich »Ein Hungerkünstler«
4 Berliner Verlag, in dem der Band »Ein Hungerkünstler« erschien.
5 Die Zettel, die Kafka auf dem Krankenbett schrieb, als er nicht mehr sprechen durfte. Diese und die folgenden Stellen beziehen sich auf die Druckkorrekturen des Bandes »Ein Hungerkünstler«.

nicht sehr hübsch, aber hier hat es vielleicht besonderen Sinn. Es
hat etwas von einer Waage.«   (B. ü. K. 179 f.)

Aus den Gesprächsblättern   [Ende Mai 1924]
Ein Drittel aus der Mitte gestrichen.
[...]
Hier, jetzt, mit diesen Kräften soll ich es schreiben
Jetzt erst schicken sie mir das Material.
[...]
Das Schlechte soll schlecht bleiben, sonst wirds noch schlechter.
[...]
Jetzt will ich es lesen.
Es wird mich zu sehr aufregen, vielleicht, ich muß es doch von
neuem erleben.   (Br. 486 f.)

Über das Schreiben

Kafka an Oskar Pollak [1] [Prag, Anfang 1903]
Unter den paar tausend Zeilen, die ich Dir gebe, könnte ich vielleicht noch zehn duldsam anhören, die Posaunenstöße im vorigen
Brief waren nicht nötig, statt der Offenbarung kommt Kinder-
gekritzel... Der größte Teil ist mir widerlich, das sage ich offen
(zum Beispiel ›Der Morgen‹ und anderes), es ist mir unmöglich, das
ganz zu lesen, und ich bin zufrieden, wenn Du Stichproben ver-
trägst. Du mußt aber daran denken, daß ich in einer Zeit anfing, in
der man ›Werke schuf‹, wenn man Schwulst schrieb; es gibt keine
schlimmere Zeit zum Anfang. Und ich war so vertollt in die großen
Worte. Unter den Papieren ist ein Blatt, auf dem ungewöhnliche
und besonders feierliche Namen aus dem Kalender ausgesucht
stehn. Ich brauchte nämlich zwei Namen für einen Roman und
wählte endlich die unterstrichenen: Johannes und Beate (Renate
war mir schon weggeschnappt [2] wegen ihres dicken Glorienscheins.
Das ist doch fast lustig. (B. ü K. 57 f.)

Kafka an Oskar Pollak [Prag, Anfang 1903]
Eines aber fehlt in den Heften ganz, das ist Fleiß, Ausdauer und
wie alle diese fremden Dinge heißen [...] Was mir fehlt, ist Zucht.
Das halbe Lesen der Hefte ist heute das wenigste, was ich von Dir
will. Du hast ein schönes Zimmer. Die Lichtlein von den Geschäf-
ten unten blinken verdeckt und eifrig. Ich will, daß Du mich dort

1 Kunsthistoriker, Jugendfreund Kafkas.
2 Anspielung auf Jakob Wassermanns »Die Geschichte der jungen
Renate Fuchs«, Berlin 1901.

jeden Samstag, vom nächstnächsten Samstag angefangen, vorlesen läßt, eine halbe Stunde. Ich will drei Monate fleißig sein. Vor allem weiß ich heute eines: Die Kunst hat das Handwerk nötiger als das Handwerk die Kunst. Natürlich glaube ich nicht, daß man sich zum Gebären zwingen kann, wohl aber zum Erziehen der Kinder.«

(B. ü K. 58)

Kafka an Oskar Pollak   [Prag,] 6. 9. [vermutlich 1903]
Ich werde Dir ein Bündel vorbereiten, in dem wird alles sein, was ich bis jetzt geschrieben habe, aus mir oder aus andern. Es wird nichts fehlen, als die Kindersachen [3] (Du siehst, das Unglück sitzt mir von früh an auf dem Buckel), dann das, was ich nicht mehr habe, dann das, was ich auch für den Zusammenhang für wertlos halte, dann die Pläne, denn die sind Länder für den, der sie hat, und Sand für die andern, und endlich das, was ich auch Dir nicht zeigen kann, denn man schauert zusammen, wenn man ganz nackt dasteht und ein anderer einen betastet, auch wenn man darum auf den Knien gebeten hat. Übrigens, ich habe das letzte halbe Jahr fast gar nichts geschrieben. Das also, was übrig bleibt, ich weiß nicht, wieviel es ist, werde ich Dir geben, wenn Du mir ein Ja schreibst oder sagst auf dieses hin, was ich von Dir will.
Das ist nämlich etwas Besonderes, und wenn ich auch sehr ungeschickt im Schreiben solcher Dinge bin (sehr unwissend), vielleicht weißt Du es schon. Ich will von Dir keine Antwort darauf haben, ob es eine Freude wäre hier zu warten oder ob man leichten Herzens Scheiterhaufen anzünden könnte, ja ich will nicht einmal wissen, wie Du zu mir stehst, denn auch das müßte ich Dir abzwingen, also ich will etwas Leichteres und Schwereres, ich will, daß Du die Blätter liest, sei es auch gleichgültig und widerwillig. Denn es ist auch Gleichgültiges und Widerwilliges darunter. Denn – darum will ich es – mein Liebstes und Härtestes ist nur kühl, trotz der Sonne, und ich weiß, daß zwei fremde Augen alles wärmer und regsamer machen werden, wenn sie darauf schauen. Ich schreibe nur wärmer und regsamer, denn das ist gottsicher, da geschrieben

3 Frühe Arbeiten Kafkas, im einzelnen nicht zu ermitteln.

steht: »Herrlich ist selbständig Gefühl, aber antwortend Gefühl macht wirkender.«

Nun warum soviel Aufhebens, nicht – ich nehme ein Stück (denn ich kann mehr, als ich dir gebe, und ich werde – ja) ein Stück von meinem Herzen, packe es sauber ein in ein paar Bogen beschriebenen Papiers und gebe es Dir. (Br. 18 f.)

Kafka an Oskar Pollak [Prag, 9. November 1903]
Die Dinge, die ich Dir vorlesen wollte und die ich Dir schicken werde, sind Stücke aus einem Buch, »Das Kind und die Stadt«, das ich selbst nur in Stücken habe. Will ich sie Dir schicken, so muß ich sie überschreiben, und das braucht Zeit. So werde ich Dir immer ein paar Blättchen mit jedem Briefe schicken (wenn ich nicht sähe, daß die Sache sichtbar vorwärts geht, verginge mir bald die Lust daran), Du magst sie dann im Zusammenhang lesen, das erste Stück kommt mit dem nächsten Brief.

Übrigens ist schon eine Zeit lang nichts geschrieben worden. Es geht mir damit so: Gott will nicht, daß ich schreibe, ich aber, ich muß. So ist es ein ewiges Auf und Ab, schließlich ist doch Gott der Stärkere und es ist mehr Unglück dabei, als Du Dir denken kannst. So viele Kräfte sind in mir an einen Pflock gebunden, aus dem vielleicht ein grüner Baum wird, während sie freigemacht mir und dem Staat nützlich sein könnten. Aber durch Klagen schüttelt man keine Mühlsteine vom Halse, besonders wenn man sie lieb hat.

(Br. 20 f.)

Gespräch Kafkas mit Oskar Baum [Herbst 1904]
Wenn man nicht nötig hat, durch Stileinfälle vom Geschehen abzulenken, ist die Verlockung hiezu am stärksten. (B. ü. K. 96)

Anfang 1910
Endlich nach fünf Monaten meines Lebens, in denen ich nichts schreiben konnte, womit ich zufrieden gewesen wäre, und die mir keine Macht ersetzen wird, obwohl alle dazu verpflichtet wären, komme ich auf den Einfall, wieder einmal mich anzusprechen. Darauf antwortete ich noch immer, wenn ich mich wirklich fragte, hier war immer noch etwas aus mir herauszuschlagen, aus diesem Stroh-

haufen, der ich seit fünf Monaten bin und dessen Schicksal es zu sein scheint, im Sommer angezündet zu werden und zu verbrennen, rascher, als der Zuschauer mit den Augen blinzelt. Wollte das doch nur mit mir geschehn! Und zehnfach sollte mir das geschehn, denn ich bereue nicht einmal die unglückselige Zeit. Mein Zustand ist nicht Unglück, aber er ist auch nicht Glück, nicht Gleichgültigkeit, nicht Schwäche, nicht Ermüdung, nicht anderes Interesse, also was ist er denn? Daß ich das nicht weiß, hängt wohl mit meiner Unfähigkeit zu schreiben zusammen. Und diese glaube ich zu verstehn, ohne ihren Grund zu kennen. Alle Dinge nämlich, die mir einfallen, fallen [mir] nicht von der Wurzel aus ein, sondern erst irgendwo gegen ihre Mitte. Versuche sie dann jemand zu halten, versuche jemand ein Gras und sich an ihm zu halten, das erst in der Mitte des Stengels zu wachsen anfängt. Das können wohl einzelne, zum Beispiel japanische Gaukler, die auf einer Leiter klettern, die nicht auf dem Boden aufliegt, sondern auf den emporgehaltenen Sohlen eines halb Liegenden, und die nicht an der Wand lehnt, sondern nur in die Luft hinaufgeht. Ich kann es nicht, abgesehen davon, daß meiner Leiter nicht einmal jene Sohlen zur Verfügung stehn. Es ist das natürlich nicht alles, und eine solche Anfrage bringt mich noch nicht zum Reden. Aber jeden Tag soll zumindest eine Zeile gegen mich gerichtet werden, wie man die Fernrohre jetzt gegen den Kometen richtet. Und wenn ich dann einmal vor jenem Satze erscheinen würde, hergelockt von jenem Satze, so wie ich zum Beispiel letzte Weihnachten gewesen bin und wo ich so weit war, daß ich mich nur noch gerade fassen konnte, und wo ich wirklich auf der letzten Stufe meiner Leiter schien, die aber ruhig auf dem Boden stand und an der Wand. Aber was für ein Boden, was für eine Wand! Und doch fiel jene Leiter nicht, so drückten sie meine Füße an den Boden, so hoben sie meine Füße an die Wand.   (T. 11 ff.)

15. November 1910

Kein Wort fast, das ich schreibe, paßt zum andern, ich höre, wie sich die Konsonanten blechern aneinanderreiben, und die Vokale singen dazu wie Ausstellungsneger. Meine Zweifel stehn um jedes Wort im Kreis herum, ich sehe sie früher als das Wort, aber was denn! ich sehe das Wort überhaupt nicht, das erfinde ich. Das wäre ja noch das größte Unglück nicht, nur müßte ich dann Worte erfinden können, welche imstande sind, den Leichengeruch in einer Richtung zu blasen, daß er mir und dem Leser nicht gleich ins Gesicht kommt. Wenn ich mich zum Schreibtisch setze, ist mir nicht wohler als einem, der mitten im Verkehr der Place de l'Opéra fällt und beide Beine bricht. Alle Wagen streben trotz ihres Lärmens schweigend von allen Seiten nach allen Seiten, aber bessere Ordnung als die Schutzleute macht der Schmerz jenes Mannes, der ihm die Augen schließt und den Platz und die Gassen verödet, ohne daß die Wagen umkehren müßten. Das viele Leben schmerzt ihn, denn er ist ja ein Verkehrshindernis, aber die Leere ist nicht weniger arg, denn sie macht seinen eigentlichen Schmerz los. (T. 27 f.)

Kafka an Max Brod [Prag,] 17. XII. [1910]
Wenn links der Frühstückslärm aufhört, fängt rechts der Mittagslärm an, Türen werden jetzt überall aufgemacht, wie wenn die Wände aufgebrochen würden. Vor allem aber die Mitte alles Unglücks bleibt. Ich kann nicht schreiben; ich habe keine Zeile gemacht, die ich anerkenne, dagegen habe ich alles weggestrichen, was ich nach Paris – es war nicht viel – geschrieben habe. Mein ganzer Körper warnt mich vor jedem Wort, jedes Wort, ehe es sich von mir niederschreiben läßt, schaut sich zuerst nach allen Seiten um; die Sätze zerbrechen mir förmlich, ich sehe ihr Inneres und muß dann aber rasch aufhören. (Br. 85)

17. Dezember 1910
Daß ich so viel weggelegt und weggestrichen habe, ja fast alles, was ich in diesem Jahre überhaupt geschrieben habe, das hindert mich jedenfalls auch sehr am Schreiben. Es ist ja ein Berg, es ist fünfmal so viel als ich überhaupt je geschrieben habe, und schon durch seine Masse zieht es alles, was ich schreibe, mir unter der Feder weg zu sich hin. (T. 29)

20. Dezember 1910
Womit entschuldige ich, daß ich heute noch nichts geschrieben habe? Mit nichts. Zumal meine Verfassung nicht die schlechteste ist. Ich habe immerfort eine Anrufung im Ohr: »Kämest du, unsichtbares Gericht!« (T. 31)

Meine Kraft reicht zu keinem Satz mehr aus. Ja, wenn es sich um Worte handeln würde, wenn es genügte, ein Wort hinzusetzen und man sich wegwenden könnte im ruhigen Bewußtsein, dieses Wort ganz mit sich erfüllt zu haben. (T. 34)

19. Januar 1911

Ich werde, da ich von Grund aus fertig zu sein scheine – im letzten Jahr bin ich nicht mehr als fünf Minuten lang aufgewacht – jeden Tag entweder mich von der Erde wegwünschen müssen oder aber, ohne daß ich darin auch die mäßigste Hoffnung sehen dürfte, von vorn als kleines Kind anfangen müssen. Ich werde es hiebei äußerlich leichter haben als damals. Denn in jenen Zeiten strebte ich noch kaum mit matter Ahnung zu einer Darstellung, die von Wort zu Wort mit meinem Leben verbunden wäre, die ich an meine Brust ziehen und die mich von meinem Platz hinreißen sollte. Mit welchem Jammer (dem gegenwärtigen allerdings unvergleichbar) habe ich angefangen! Welche Kälte verfolgte mich aus dem Geschriebenen tagelang! Wie groß war die Gefahr und wie wenig unterbrochen wirkte sie, daß ich jene Kälte gar nicht fühlte, was freilich mein Unglück im ganzen nicht viel kleiner machte.

Einmal hatte ich einen Roman vor, in dem zwei Brüder gegeneinander kämpften, von denen einer nach Amerika fuhr, während der andere in einem europäischen Gefängnis blieb. Ich fing nur hie und da Zeilen zu schreiben an, denn es ermüdete mich gleich. So schrieb ich einmal auch an einem Sonntagnachmittag, als wir bei den Großeltern zu Besuch waren und ein dort immer übliches, besonders weiches Brot, mit Butter bestrichen, aufgegessen hatten, etwas über mein Gefängnis auf. Es ist schon möglich, daß ich es zum größten Teil aus Eitelkeit machte und durch Verschieben des Papiers auf dem Tischtuch, Klopfen mit dem Bleistift, Herumschauen in der Runde unter der Lampe durch, jemanden verlocken wollte, das Geschriebene mir wegzunehmen, es anzuschauen und mich zu bewundern. In den paar Zeilen war in der Hauptsache der Korridor des Gefängnisses beschrieben, vor allem seine Stille und Kälte; über den zurückbleibenden Bruder war auch ein mitleidiges Wort gesagt, weil es der gute Bruder war. Vielleicht hatte ich ein augenblicksweises Gefühl für die Wertlosigkeit meiner Schilderung, nur habe ich vor jenem Nachmittag auf solche Gefühle nie viel geachtet, wenn ich unter den Verwandten, an die ich gewöhnt war (meine Ängstlichkeit war so groß, daß sie mich im Gewohnten schon halb glücklich machte), um den runden Tisch im bekannten Zimmer saß und nicht vergessen konnte, daß ich jung und aus dieser gegenwärtigen Ungestörtheit zu Großem berufen war. Ein Onkel, der gern auslachte, nahm mir endlich das Blatt, das ich nur schwach hielt, sah es kurz an, reichte es mir wieder, sogar ohne zu lachen, und sagte nur zu den andern, die ihn mit den Augen verfolgten, »das gewöhnliche Zeug«, zu mir sagte er nichts. Ich blieb zwar sitzen und beugte mich wie früher über mein also unbrauchbares Blatt, aber aus der Gesellschaft war ich tatsächlich mit einem Stoß vertrieben, das Urteil des Onkels wiederholte sich in mir mit schon fast wirklicher Bedeutung und ich bekam selbst innerhalb des Familiengefühls einen Einblick in den kalten Raum unserer Welt, den ich mit einem Feuer erwärmen müßte, das ich erst suchen wollte. (T. 39 ff.)

19. Februar 1911

Die besondere Art meiner Inspiration, in der ich Glücklichster und Unglücklichster jetzt um zwei Uhr nachts schlafen gehe (sie wird vielleicht, wenn ich nur den Gedanken daran ertrage, bleiben, denn sie ist höher als alle früheren), ist die, daß ich alles kann, nicht nur auf eine bestimmte Arbeit hin. Wenn ich wahllos einen Satz hinschreibe, zum Beispiel »Er schaute aus dem Fenster«, so ist er schon vollkommen. (T. 41 f.)

28. März 1911

Mein Besuch bei Dr. Steiner[4] [. . .] Mein Glück, meine Fähigkeiten und jede Möglichkeit, irgendwie zu nützen, liegen seit jeher im Literarischen. Und hier habe ich allerdings Zustände erlebt (nicht viele), die meiner Meinung nach den von Ihnen, Herr Doktor, beschriebenen hellseherischen Zuständen sehr nahestehen, in welchen ich ganz und gar in jedem Einfall wohnte, aber jeden Einfall auch

4 Rudolf Steiner, Begründer der Anthroposophie.

erfüllte und in welchen ich mich nicht nur an meinen Grenzen fühlte, sondern an den Grenzen des Menschlichen überhaupt. Nur die Ruhe der Begeisterung, wie sie dem Hellseher wahrscheinlich eigen ist, fehlte doch jenen Zuständen, wenn auch nicht ganz. Ich schließe dies daraus, daß ich das Beste meiner Arbeiten nicht in jenen Zuständen geschrieben habe. – Diesem Literarischen kann ich mich nun nicht vollständig hingeben, wie es sein müßte, und zwar aus verschiedenen Gründen nicht. Abgesehen von meinen Familienverhältnissen könnte ich von der Literatur schon infolge des langsamen Entstehens meiner Arbeiten und ihres besonderen Charakters nicht leben; überdies hindert mich auch meine Gesundheit und mein Charakter daran, mich einem im günstigsten Falle ungewissen Leben hinzugeben. Ich bin daher Beamter in einer sozialen Versicherungsanstalt geworden. Nun können diese zwei Berufe einander niemals ertragen und ein gemeinsames Glück zulassen. Das kleinste Glück in einem wird ein großes Unglück im zweiten. Habe ich an einem Abend Gutes geschrieben, brenne ich am nächsten Tag im Bureau und kann nichts fertig bringen. Dieses Hinundher wird immer ärger. Im Bureau genüge ich äußerlich meinen Pflichten, meinen innern Pflichten aber nicht, und jede nichterfüllte innere Pflicht wird zu einem Unglück, das sich aus mir nicht mehr rührt. Und zu diesen zwei nie auszugleichenden Bestrebungen soll ich jetzt die Theosophie als dritte führen?

(T. 57 f.)

20. August 1911

Ich habe den unglücklichen Glauben, daß ich nicht zur geringsten guten Arbeit Zeit habe, denn ich habe wirklich nicht Zeit für eine Geschichte, mich in alle Weltrichtungen auszubreiten, wie ich es müßte. Dann aber glaube ich wieder, daß meine Reise besser ausfallen wird, daß ich besser auffassen werde, wenn ich durch ein wenig Schreiben gelockert bin, und so versuche ich es wieder.

(T. 59)

20. August 1911

Ich habe über Dickens gelesen. Ist es so schwer und kann es ein Außenstehender begreifen, daß man eine Geschichte von ihrem

116

Anfang in sich erlebt, vom fernen Punkt bis zu der heranfahrenden Lokomotive aus Stahl, Kohle und Dampf, sie aber auch jetzt noch nicht verläßt, sondern von ihr gejagt sein will und Zeit dazu hat, also von ihr gejagt wird und aus eigenem Schwung vo[r] ihr läuft, wohin sie nur stößt und wohin man sie lockt.

Ich kann es nicht verstehn und nicht einmal glauben. Ich lebe nur hie und da in einem kleinen Wort, in dessen Umlaut (oben »stößt«) ich zum Beispiel auf einen Augenblick meinen unnützen Kopf verliere. Erster und letzter Buchstabe sind Anfang und Ende meines fischartigen Gefühls. (T. 60)

[Sanatorium Erlenbach, Schweiz. 17. September 1911]

Kafka an Max Brod

Natürlich, wenn ich den Zwang zum Schreiben in mir fühlen würde, wie für längere Dauer einmal in langer Zeit, wie für einen Augenblick in Stresa, wo ich mich ganz als eine Faust fühlte, in deren Innern die Nägel in das Fleisch gehn – anders kann ich es nicht sagen –, dann allerdings bestünde keines jener Hindernisse. Ich müßte mir einfach die Anwendungen nicht machen lassen, könnte mich gleich nach Tisch empfehlen, als ein ganz besonderer Sonderling, dem man nachschaut, in mein Zimmer hinaufgehn, den Sessel auf den Tisch stellen und im Licht der hoch an der Decke angebrachten schwachen Glühlampe schreiben.

Wenn ich jetzt daran denke, daß man nach Deiner Meinung – nach Deinem Beispiel will ich nicht sagen – auch nach bloß äußerem Belieben schreiben solle, dann hast Du freilich mit Deiner Aufforderung an mich schließlich doch Recht gehabt, ob Du nun Sanatorien kennst oder nicht, und es fällt wirklich trotz meiner angestrengten Entschuldigung alles auf mich zurück oder besser gesagt, es reduziert sich auf eine kleine Meinungs- oder eine große Fähigkeitsdifferenz. Übrigens ist es erst Sonntag abend, mir bleiben also noch rund eineinhalb Tage, obwohl die Uhr hier im Lesezimmer, in dem ich jetzt endlich allein geworden bin, einen merkwürdig schnellen Schlag hat. (Br. 90 f.)

2. Oktober 1911

Ich glaube, diese Schlaflosigkeit kommt nur daher, daß ich schreibe. Denn so wenig und so schlecht ich schreibe, ich werde doch durch

diese kleinen Erschütterungen empfindlich, spüre besonders gegen
Abend und noch mehr am Morgen das Wehen, die nahe Möglichkeit großer, mich aufreißender Zustände, die mich zu allem fähig
machen könnten, und bekomme dann in dem allgemeinen Lärm,
der in mir ist und dem zu befehlen ich nicht Zeit habe, keine Ruhe.
[. . .] Mein Trost ist – und mit ihm lege ich mich jetzt nieder –, daß
ich so lange nicht geschrieben habe, daß sich daher dieses Schreiben
in meine gegenwärtigen Verhältnisse noch nicht einordnen konnte,
daß dies jedoch bei einiger Männlichkeit wenigstens provisorisch
gelingen muß.   (T. 74 f.)

[3.] Oktober 1911

Wieder war es die Kraft meiner Träume, die schon ins Wachsein
vor dem Einschlafen strahlen, die mich nicht schlafen ließ. Das Bewußtsein meiner dichterischen Fähigkeiten ist am Abend und am
Morgen unüberblickbar. Ich fühle mich gelockert bis auf den Boden
meines Wesens und kann aus mir heben, was ich nur will.

                                                                        (T. 76)

[3.] Oktober 1911

Endlich sage ich es, behalte aber den großen Schrecken, daß zu
einer dichterischen Arbeit alles in mir bereit ist und eine solche
Arbeit eine himmlische Auflösung und ein wirkliches Lebendig-
werden für mich wäre, während ich hier im Bureau um eines so
elenden Aktenstückes willen einen solchen Glückes fähigen Körper
um ein Stück seines Fleisches berauben muß.   (T. 77)

5. November 1911

Ich will schreiben, mit einem ständigen Zittern auf der Stirn. Ich
sitze in meinem Zimmer im Hauptquartier des Lärms der ganzen
Wohnung. Alle Türen höre ich schlagen, durch ihren Lärm bleiben
mir nur die Schritte der zwischen ihnen Laufenden erspart, noch
das Zuklappen der Herdtüre in der Küche höre ich. Der Vater
durchbricht die Türen meines Zimmers und zieht im nachschlep-
penden Schlafrock durch, aus dem Ofen im Nebenzimmer wird die
Asche gekratzt, Valli fragt ins Unbestimmte, durch das Vorzimmer,
wie durch eine Pariser Gasse rufend, ob denn des Vaters Hut schon

geputzt ist, ein Zischen, das mir befreundet sein will, erhebt das Geschrei einer antwortenden Stimme. Die Wohnungstür wird aufgeklinkt und lärmt wie aus katarrhalischem Hals, öffnet sich dann weiterhin mit dem kurzen Singen einer Frauenstimme und schließt sich mit einem dumpfen männlichen Ruck, der sich am rücksichtslosesten anhört. Der Vater ist weg, jetzt beginnt der zartere, zerstreutere, hoffnungslosere Lärm, von den Stimmen der zwei Kanarienvögel angeführt. Schon früher dachte ich daran, bei den Kanarienvögeln fällt es mir aber von neuem ein, ob ich nicht die Türe bis zu einer kleinen Spalte öffnen, schlangengleich ins Nebenzimmer kriechen und so auf dem Boden meine Schwestern und ihr Fräulein um Ruhe bitten sollte [5]. (T. 141)

5. November 1911

Die Bitterkeit, die ich gestern abend fühlte, als Max bei Baum meine kleine Automobilgeschichte [6] vorlas. Ich war gegen alle abgeschlossen und gegen die Geschichte hielt ich förmlich das Kinn in die Brust gedrückt. Die ungeordneten Sätze dieser Geschichte mit Lücken, daß man beide Hände dazwischen stecken könnte; ein Satz klingt hoch, ein Satz klingt tief, wie es kommt; ein Satz reibt sich am andern wie die Zunge an einem hohlen oder falschen Zahn; ein Satz kommt mit einem so rohen Anfang anmarschiert, daß die ganze Geschichte in ein verdrießliches Staunen gerät; eine verschlafene Nachahmung von Max (Vorwürfe gedämpft – angefeuert) schaukelt hinein, manchmal sieht es aus wie ein Tanzkurs in seiner ersten Viertelstunde. Ich erkläre es mir damit, daß ich zu wenig Zeit und Ruhe habe, um die Möglichkeiten meines Talentes in ihrer Gänze aus mir zu heben. Es kommen daher immer nur abreißende Anfänge zutage, abreißende Anfänge zum Beispiel die ganze Automobilgeschichte durch. Würde ich einmal ein größeres Ganzes schreiben können, wohlgebildet vom Anfang bis zum Ende, dann könnte sich auch die Geschichte niemals endgültig von mir

5 Diesen Abschnitt aus den Tagebüchern veröffentlichte Kafka unter dem Titel »Großer Lärm« in den Prager »Herder-Blättern« I, 4–5 (Oktober 1912), S. 44.
6 Offenbar nicht erhalten.

loslösen, und ich dürfte ruhig und mit offenen Augen, als Blutver-
wandter einer gesunden Geschichte, ihrer Vorlesung zuhören, so
aber läuft jedes Stückchen der Geschichte heimatlos herum und
treibt mich in die entgegengesetzte Richtung. – Dabei kann ich noch
froh sein, wenn diese Erklärung richtig ist.   (T. 141 f.)

5. November 1911
Ich hatte gehofft durch den Blumenstrauß meine Liebe zu ihr ein
wenig zu befriedigen, es war ganz nutzlos. Es ist nur durch Literatur oder durch den Beischlaf möglich. Ich schreibe das nicht, weil
ich es nicht wußte, sondern weil es vielleicht gut ist, Warnungen
oft aufzuschreiben.   (T. 146)

15. November 1911
Gestern abend schon mit einem Vorgefühl die Decke vom Bett gezogen, mich gelegt und wieder aller meiner Fähigkeiten bewußt
geworden, als hielte ich sie in der Hand; sie spannten mir die Brust,
sie entflammten mir den Kopf, ein Weilchen wiederholte ich, um
mich darüber zu trösten, daß ich nicht aufstand, um zu arbeiten:
»Das kann nicht gesund sein, das kann nicht gesund sein«, und
wollte den Schlaf mit fast sichtbarer Absicht mir über den Kopf
ziehn. Immer dachte ich an eine Mütze mit Schirm, die ich, um mich
zu schützen, mit starker Hand mir in die Stirne drücke. Wie viel
habe ich gestern verloren, wie drückte sich das Blut im engen Kopf,
fähig zu allem, und nur gehalten von Kräften, die für mein bloßes
Leben unentbehrlich sind und hier verschwendet werden.
                                                              (T. 161)

15. November 1911
Sicher ist, daß alles, was ich im voraus selbst im guten Gefühl Wort
für Wort oder sogar nur beiläufig, aber in ausdrücklichen Worten,
erfunden habe, auf dem Schreibtisch beim Versuch des Nieder-
schreibens trocken, verkehrt, unbeweglich, der ganzen Umgebung
hinderlich, ängstlich, vor allem aber lückenhaft erscheint, trotzdem
von der ursprünglichen Erfindung nichts vergessen worden ist. Es
liegt natürlich zum großen Teil daran, daß ich frei vom Papier nur
in der Zeit der Erhebung, die ich mehr fürchte als ersehne, wie sehr

ich sie auch ersehne, Gutes erfinde, daß dann aber die Fülle so groß
ist, daß ich verzichten muß, blindlings also nehme, nur dem Zufall nach, aus der Strömung heraus, griffweise, so daß diese Er-
werbung beim überlegten Niederschreiben nichts ist im Vergleich
zur Fülle, in der sie lebte, unfähig, diese Fülle herbeizubringen, und
daher schlecht und störend ist, weil sie nutzlos lockt.   (T. 161 f.)

8. Dezember 1911

Ich habe jetzt und hatte schon nachmittag ein großes Verlangen,
meinen ganzen bangen Zustand ganz aus mir herauszuschreiben
und ebenso wie er aus der Tiefe kommt, in die Tiefe des Papiers
hinein, oder es so niederzuschreiben, daß ich das Geschriebene vollständig in mich einbeziehen könnte. Das ist kein künstlerisches Verlangen. Als heute [Jizchak] Löwy von seiner Unzufriedenheit sprach
und von seiner Gleichgültigkeit allem gegenüber, was die Truppe
tut, legte ich seinem Zustand als Erklärung laut Heimweh unter,
gab ihm aber gewissermaßen diese Erklärung nicht hin, trotzdem
ich sie ausgesprochen hatte, sondern behielt sie für mich und *genoß*
sie vorübergehend für meine eigene Traurigkeit.   (T. 185 f.)

13. Dezember 1911

Ich ziehe, wenn ich nach längerer Zeit zu schreiben anfange, die
Worte wie aus der leeren Luft. Ist eines gewonnen, dann ist eben
nur dieses eine da und alle Arbeit fängt von vorne an.   (T. 190)

14. Dezember 1911

Mein Vater machte mir mittags Vorwürfe, weil ich mich nicht um
die Fabrik kümmere. Ich erklärte, ich hätte mich beteiligt, weil ich
Gewinn erwartete, mitarbeiten könne ich aber nicht, solange ich
im Bureau sei. Der Vater zankte weiter, ich stand beim Fenster und
schwieg. Abends aber ertappte ich mich bei dem von jenem Mit-
tagsgespräch ausgehenden Gedanken, daß ich mich mit meiner
gegenwärtigen Stellung sehr zufrieden geben könne und mich nur
hüten müsse, die ganze Zeit für die Literatur freizubekommen.
Kaum hatte ich diesen Gedanken näherer Beobachtung ausgesetzt,
war er auch nicht mehr erstaunlich und kam mir schon gewohnt
vor. Ich sprach mir die Fähigkeit ab, die ganze Zeit für die Litera-

tur ausnützen zu können. Diese Überzeugung kam allerdings nur aus einem Augenblickszustand, aber sie war stärker als dieser.

(T. 190 f.)

16. Dezember 1911

Sonntag zwölf Uhr mittag. Den Vormittag vertrödelt mit Schlafen und Zeitunglesen. Angst, eine Kritik für das Prager Tagblatt fertigzustellen. Solche Angst vor dem Schreiben äußert sich immer darin, daß ich gelegentlich, ohne beim Schreibtisch zu sein, Eingangssätze des zu Schreibenden erfinde, die sich gleich als unbrauchbar, trokken, weit vor dem Ende abgebrochen herausstellen und mit ihren vorragenden Bruchstellen in eine traurige Zukunft zeigen.

(T. 192)

16. Dezember 1911

Meinem Verlangen, eine Selbstbiographie zu schreiben, würde ich jedenfalls in dem Augenblick, der mich vom Bureau befreite, sofort nachkommen. Eine solche einschneidende Änderung müßte ich beim Beginn des Schreibens als vorläufiges Ziel vor mir haben, um die Masse der Geschehnisse lenken zu können. Eine andere erhebende Änderung aber als diese, die selbst so schrecklich unwahrscheinlich ist, kann ich nicht absehn. Dann aber wäre das Schreiben der Selbstbiographie eine große Freude, da es so leicht vor sich ginge wie die Niederschrift von Träumen und doch ein ganz anderes, großes, mich für immer beeinflussendes Ergebnis hätte, das auch dem Verständnis und Gefühl eines jeden andern zugänglich wäre.

(T. 194 f.)

29. Dezember 1911

Die Schwierigkeiten der Beendigung, selbst eines kleinen Aufsatzes, liegen nicht darin, daß unser Gefühl für das Ende des Stückes ein Feuer verlangt, das der tatsächliche bisherige Inhalt aus sich selbst nicht hat erzeugen können, sie entstehen vielmehr dadurch, daß selbst der kleinste Aufsatz vom Verfasser eine Selbstzufriedenheit und eine Verlorenheit in sich selbst verlangt, aus der an die Luft des gewöhnlichen Tages zu treten, ohne starken Entschluß und äußern Ansporn schwierig ist, so daß man eher, als der Aufsatz rund geschlossen wird und man still abgleiten darf, vorher, von der Unruhe getrieben, ausreißt und dann der Schluß von außenher geradezu mit Händen beendigt werden muß, die nicht nur arbeiten, sondern sich auch festhalten müssen. (T. 218 f.)

3. Januar 1912
In mir kann ganz gut eine Konzentration auf das Schreiben hin erkannt werden. Als es in meinem Organismus klar geworden war, daß das Schreiben die ergiebigste Richtung meines Wesens sei, drängte sich alles hin und ließ alle Fähigkeiten leer stehn, die sich auf die Freuden des Geschlechtes, des Essens, des Trinkens, des philosophischen Nachdenkens, der Musik zuallererst, richteten. Ich magerte nach allen diesen Richtungen ab. Das war notwendig, weil meine Kräfte in ihrer Gesamtheit so gering waren, daß sie nur gesammelt dem Zweck des Schreibens halbwegs dienen konnten. Ich habe diesen Zweck natürlich nicht selbständig und bewußt gefunden, er fand sich selbst und wird jetzt nur noch durch das Bureau, aber hier von Grund aus, gehindert. (T. 229)

2. März 1912
Wer bestätigt mir die Wahrheit oder Wahrscheinlichkeit dessen, daß ich nur infolge meiner literarischen Bestimmung sonst interesselos und infolgedessen herzlos bin. (T. 263)

8. März 1912
Einige alte Papiere durchgelesen. Es gehört alle Kraft dazu, das auszuhalten. Das Unglück, das man ertragen muß, wenn man in einer Arbeit, die immer nur im ganzen Zug gelingen kann, sich unterbricht, und das ist mir bisher immer geschehn, dieses Unglück muß man beim Durchlesen, wenn auch nicht in der alten Stärke, so gedrängter durchmachen. (T. 267)

16. März 1912
Wieder Aufmunterung. Wieder fasse ich mich, wie die Bälle, die fallen, und die man im Fallen fängt. Morgen, heute fange ich eine größere Arbeit an, die ungezwungen nach meinen Fähigkeiten sich

richten soll. Ich werde nicht von ihr ablassen, solange ich nur kann.
Lieber schlaflos sein, als so hinzuleben. (T. 269)

26. März 1912
Nur nicht überschätzen, was ich geschrieben habe, dadurch mache
ich mir das zu Schreibende unerreichbar. (T. 274)

1. April 1912
Zum erstenmal seit einer Woche ein fast vollständiges Mißlingen
im Schreiben. Warum? Ich habe auch vorige Woche verschiedene
Stimmungen durchgemacht und das Schreiben vor ihrem Einfluß
bewahrt; aber ich fürchte mich, darüber zu schreiben. (T. 275)

6. Mai 1912
Zum erstenmal seit einiger Zeit vollständiges Mißlingen beim
Schreiben. Das Gefühl eines geprüften Mannes. (T. 275)

9. Juli 1912
So lange nichts geschrieben. Morgen anfangen. Ich komme sonst
wieder in eine sich ausdehnende unaufhaltsame Unzufriedenheit;
ich bin schon eigentlich drin. Die Nervositäten fangen an. Aber
wenn ich etwas kann, dann kann ich es ohne abergläubische Vor-
sichtsmaßregeln. (T. 280)

Kafka an Max Brod [Jungborn,] 17. VII. 12
Die gute Wirkung des Sanatoriums zeigt sich darin, daß ich mir bei
dem allen den Magen nicht eigentlich verderbe, er wird bloß
stumpfsinnig. Es ist damit nicht ohne Zusammenhang, daß meine
Schreiberei langsamer weiter geht als in Prag. Dagegen, oder besser: überdies sind mir gestern und heute über das Minderwertige
meines Schreibens einige Erkenntnisse aufgegangen, die, wie ich
fürchte, nicht vergehen werden. Es macht aber nichts. Zu schreiben
aufhören kann ich nicht, es ist also eine Lust, die ohne Schaden bis
auf den Kern geprüft werden kann. (Br. 98)

Kafka an Max Brod [Jungborn,] 22. VII. 12
Mir sind ja Einzelheiten gelungen und ich habe mich über sie mehr
gefreut, als selbst Du für recht halten würdest – könnte ich sonst

124

die Feder noch in der Hand halten? Ich bin niemals ein Mensch gewesen, der etwas um jeden Preis durchsetzt. Aber das ist es eben. Was ich geschrieben habe, ist in einem lauen Bad geschrieben, die ewige Hölle der wirklichen Schriftsteller habe ich nicht erlebt, von einigen Ausnahmen abgesehn, die ich trotz ihrer vielleicht grenzenlosen Stärke infolge ihrer Seltenheit und der schwachen Kraft, mit der sie spielten, aus der Beurteilung rücken kann.   (Br. 100)

Kafka an Max Brod   [Prag, 8. Oktober 1912]
Wie ich einmal in letzter Zeit Dir gegenüber behauptet habe, daß mich von außen her nichts im Schreiben stören könne (was natürlich keine Prahlerei, sondern Selbsttröstung war), dachte ich nur daran, wie die Mutter mir fast jeden Abend vorwimmert, ich solle doch einmal hie und da zur Beruhigung des Vaters in die Fabrik schauen.
[...]
Als heute abend die Mutter also wieder mit der alten Klage anfing [...] sah ich vollkommen klar ein, daß es für mich jetzt nur zwei Möglichkeiten gab, entweder nach dem allgemeinen Schlafengehen aus dem Fenster zu springen oder in den nächsten vierzehn Tagen täglich in die Fabrik und in das Bureau des Schwagers zu gehn. Das erstere gab mir die Möglichkeit, alle Verantwortung sowohl für das gestörte Schreiben als auch für die verlassene Fabrik abzuwerfen, das zweite unterbrach mein Schreiben unbedingt – ich kann mir nicht den Schlaf von vierzehn Nächten einfach aus den Augen wischen – und ließ mir, wenn ich genug Kraft des Willens und der Hoffnung hatte, die Aussicht, in vierzehn Tagen möglicherweise dort anzusetzen, wo ich heute aufgehört habe.   (Br. 107 f.)

Kafka an Felice   [Prag,] 1. XI. 12
Mein Leben besteht und bestand im Grunde von jeher aus Versuchen zu schreiben und meist aus mißlungenen. Schrieb ich aber nicht, dann lag ich auch schon auf dem Boden, wert hinausgekehrt zu werden. Nun waren meine Kräfte seit jeher jämmerlich klein und, wenn ich es auch nicht offen eingesehen habe, so ergab es sich doch von selbst, daß ich auf allen Seiten sparen, überall mir ein wenig entgehen lassen müsse, um für das, was mir mein Haupt-

zweck schien, eine zur Not ausreichende Kraft zu behalten. Wo ich es aber nicht selbst tat (mein Gott! selbst an diesem Feiertag beim Journaldienst im Bureau keine Ruhe, sondern Besuch hinter Besuch wie eine losgelassene kleine Hölle) sondern irgendwo über mich hinaus wollte, wurde ich von selbst zurückgedrängt, geschädigt, beschämt, für immer geschwächt, aber gerade dieses, was mich für Augenblicke unglücklich machte, hat mir im Laufe der Zeit Vertrauen gegeben und ich fing zu glauben an, daß da irgendwo, wenn auch schwer aufzufinden, ein guter Stern sein müsse, unter dem man weiterleben könne. Ich habe mir einmal im einzelnen eine Aufstellung darüber gemacht, was ich dem Schreiben geopfert habe und darüber, was mir um des Schreibens willen genommen wurde oder besser, dessen Verlust nur mit dieser Erklärung sich ertragen ließ.

Und tatsächlich, so mager wie ich bin und ich bin der magerste Mensch, den ich kenne (was etwas sagen will, da ich schon viel in Sanatorien herumgekommen bin) ebenso ist auch sonst nichts an mir, was man in Rücksicht auf das Schreiben Überflüssiges und Überflüssiges im guten Sinne nennen könnte. Gibt es also eine höhere Macht, die mich benützen will oder benützt, dann liege ich als ein zumindest deutlich ausgearbeitetes Instrument in ihrer Hand; wenn nicht, dann bin ich gar nichts und werde plötzlich in einer fürchterlichen Leere übrig bleiben.

Jetzt habe ich mein Leben um das Denken an Sie erweitert und es gibt wohl kaum eine Viertelstunde während meines Wachseins, in der ich nicht an Sie gedacht hätte, und viele Viertelstunden, in denen ich nichts anderes tue. Aber selbst dieses steht mit meinem Schreiben im Zusammenhang, nur der Wellengang des Schreibens bestimmt mich und gewiß hätte ich in einer Zeit matten Schreibens niemals den Mut gehabt, mich an Sie zu wenden.

[...]

Meine Lebensweise ist nur auf das Schreiben hin eingerichtet und wenn sie Veränderungen erfährt, so nur deshalb, um möglicher Weise dem Schreiben besser zu entsprechen, denn die Zeit ist kurz, die Kräfte sind klein, das Bureau ist ein Schrecken, die Wohnung ist laut und man muß sich mit Kunststücken durchzuwinden suchen, wenn es mit einem schönen geraden Leben nicht geht. Die Befriedi-

gung über ein derartiges Kunststück, das einem in der Zeiteinteilung gelungen ist, ist allerdings nichts gegenüber dem ewigen Jammer, daß jede Ermüdung sich in dem Geschriebenen viel besser und
klarer aufzeichnet, als das, was man eigentlich aufschreiben wollte.
Seit $1^{1/2}$ Monaten ist meine Zeiteinteilung mit einigen in den letzten
Tagen infolge unerträglicher Schwäche eingetretenen Störungen
die folgende: Von 8 bis 2 oder $2^{1/3}$ Bureau, bis 3 oder $^{1/2}4$ Mittagessen, von da ab Schlafen im Bett (meist nur Versuche, eine Woche
lang habe ich in diesem Schlaf nur Montenegriner gesehn mit einer
äußerst widerlichen, Kopfschmerzen verursachenden Deutlichkeit
jedes Details ihrer komplizierten Kleidung) bis $^{1/2}8$, dann 10 Minuten Turnen, nackt bei offenem Fenster, dann eine Stunde Spazierengehn allein oder mit Max oder mit noch einem andern Freund,
dann Nachtmahl innerhalb der Familie (ich habe 3 Schwestern, eine
verheiratet, eine verlobt, die ledige ist mir, unbeschadet der Liebe
zu den andern, die bei weitem liebste) dann um $^{1/2}11$ (oft wird aber
auch sogar $^{1/2}12$) Niedersetzen zum Schreiben und dabeibleiben je
nach Kraft, Lust und Glück bis 1, 2, 3 Uhr, einmal auch schon bis
6 Uhr früh.   (F. 65 ff.)

Kafka an Felice   [Prag,] 5. XI. 12
Mein Schreiben und mein Verhältnis zum Schreiben würden Sie
dann vor allem anders ansehen und mir nicht mehr »Maß und Ziel«
anraten wollen. »Maß und Ziel« setzt die menschliche Schwäche
schon genug. Müßte ich mich nicht auf dem einzigen Fleck, wo ich
stehen kann, mit allem einsetzen, was ich habe? Wenn ich das nicht
täte, was für ein heilloser Narr wäre ich! Es ist möglich, daß mein
Schreiben nichts ist, aber dann ist es auch ganz bestimmt und zweifellos, daß ich ganz und gar nichts bin. Schone ich mich also darin,
dann schone ich mich, richtig gesehen, eigentlich nicht, sondern
bringe mich um.   (F. 76)

Kafka an Felice   [Prag,] 30. XI. 12
Nun habe ich überdies so elend gearbeitet, daß ich überhaupt keinen Schlaf verdiene und eigentlich verurteilt bleiben sollte, den Rest
der Nacht mit dem Hinausschauen aus dem Fenster zu verbringen.
Begreifst Du es, Liebste: schlecht schreiben und doch schreiben

müssen, wenn man sich nicht vollständiger Verzweiflung überlassen will. So schrecklich das Glück des guten Schreibens abbüßen müssen! Eigentlich nicht wahrhaft unglücklich sein, nicht jenen frischen Stachel des Unglücks zu fühlen, sondern auf die Heftseiten hinuntersehn, die sich endlos mit Dingen füllen, die man haßt, die einem Ekel oder wenigstens eine trübe Gleichgültigkeit verursachen, und die man doch niederschreiben muß, um zu leben. Pfui Teufel! Könnte ich doch die Seiten, die ich seit 4 Tagen geschrieben habe, so vernichten, als wären sie niemals da gewesen.
[...]
Und zum Abschied sage ich Dir noch, daß alles gewiß und ganz gewiß besser werden wird und daß Du gar keine Sorgen haben mußt. Man kann mich doch nicht ganz aus dem Schreiben hinauswerfen, wenn ich schon einigemal dachte, in seiner Mitte, in seiner besten Wärme zu sitzen. (F. 142 f.)

Kafka an Felice   [Leitmeritz,] vom 9. zum 10. XII. 12
Und rede nicht von Großem, das in mir steckt, oder hältst Du es vielleicht für etwas Großes, daß ich wegen der zweitägigen Unterbrechung meines Schreibens diese zwei Tage mit der unausgesetzten Furcht verbringe, nicht mehr schreiben zu können, eine Furcht übrigens, die, wie der heutige Abend gezeigt hat, nicht so ganz sinnlos war. (F. 171)

Kafka an Felice   [Prag,] Nacht vom 11. zum 12. XII. 12
Dabei war ich heute schon infolge des längern Nichtschreibens gänzlich mit mir zerfallen und habe Dir nachmittags zwar auch aus Zeitmangel nicht geschrieben und dann auch, weil Du um 10 Uhr mein Buch bekommst und dann auch, weil der ruhige einmalige tägliche Briefverkehr für uns beide am besten wäre – vor allem aber infolge meiner schrecklichen, durch das Nichtschreiben verursachten allgemeinen Unlust und schwerfälligen Ermattung, denn ich sagte mir, daß es gar nicht nötig wäre, jedes Augenblicksunglück über Dich, schon genug geplagtes Mädchen, in ganzem Strome auszugießen. Nun hatte ich aber jetzt am Abend die von meinem ganzen Wesen wenn schon nicht unmittelbar so doch mit der sich ausbreitenden inneren Trostlosigkeit widerspruchslos verlangte

Gelegenheit zum Schreiben, schreibe aber nur soviel, daß es knapp ausreicht, mich den morgigen Tag überstehen zu lassen und bleibe faul zurückgelehnt in einem schwachen Behagen, als gehe es ans Verbluten. Wie dämmerhaft wäre ich wohl ins Bett gegangen, hätte ich nicht Dich, Liebste, an die ich das schwache Wort richten darf und von der es mir mit zehnfacher Kraft zurückkommt. Jedenfalls werde ich jetzt keinen Abend meine Arbeit verlassen und schon morgen mich tiefer in sie eintauchen. (F. 176)

Kafka an Felice   [Prag,] Nacht vom 15. zum 16. XII. 12
Ich habe den Tag über nicht geschlafen, und während ich den Nachmittag über und auch am beginnenden Abend dementsprechend mit hängendem Kopf und Nebeln im Gehirn herumging, bin ich jetzt am Beginn der Nacht fast erregt, fühle starken Anlauf zum Schreiben in mir, der Teufel, der immer in der Schreiblust steckt, rührt sich eben zur unpassendsten Zeit. Mag er, ich gehe schlafen. Aber wenn ich Weihnachten zwischen Schreiben und Schlafen geteilt verbringen könnte, Liebste, das wäre ein Glück! (F. 184)

Kafka an Felice   [Prag,] vom 20. zum 21. XII. 12
Morgen fange ich wieder mein Schreiben an, ich will mit aller Kraft hineinreiten, ich fühle, wie ich mit unnachgiebiger Hand aus dem Leben gedrängt werde, wenn ich nicht schreibe. (F. 197)

Kafka an Felice   [Prag,] vom 23. bis 24. [Dezember 1912]
Liebste, wie wird es nun sein, wenn ich nicht mehr werde schreiben können? Der Zeitpunkt scheint gekommen; seit einer Woche und mehr bringe ich nichts zustande, im Lauf der letzten zehn Nächte (bei allerdings sehr unterbrochener Arbeit) hat es mich nur einmal fortgerissen, das war alles. Ich bin fortdauernd müde, Schlafsucht wälzt sich mir im Kopf herum. Spannungen oben auf dem Schädel rechts und links. Gestern habe ich eine kleine Geschichte angefangen, die mir so sehr am Herzen lag und sich mit einem Schlag vor mir zu öffnen schien, heute verschließt sie sich völlig[7]; wenn ich frage, wie es sein wird, denke ich nicht an mich, ich habe schon

7 Das Fragment dieser Erzählung ist offenbar nicht erhalten.

ärgere Zeiten durchlebt und lebe noch beiläufig fort, und wenn ich nicht für mich schreiben werde, werde ich mehr Zeit haben, an Dich zu schreiben, Deine erdachte, erschriebene, mit allen Kräften der Seele erkämpfte Nähe zu genießen – aber Du, Du wirst mich nicht mehr lieb haben können. Nicht weil ich nicht mehr für mich schreiben werde, sondern weil ich durch dieses Nichtschreiben ein schlechterer aufgelösterer, unsicherer Mensch werde, der Dir gar nicht wird gefallen können. (F. 204)

Kafka an Felice   [Prag,] vom 29. zum 30. XII. 12
Aber nun erzähle ich diesen Sonntag nicht mehr weiter, denn es strebt eben dem traurigen Ende zu, daß ich heute nichts mehr schreiben kann, da schon längst 11 Uhr vorüber ist und da ich in meinem Kopf Spannungen und Zuckungen habe, wie ich sie an mir eigentlich erst seit einer Woche kenne. Nicht schreiben und dabei Lust, Lust, eine schreiende Lust zum Schreiben in sich haben!
(F. 218)

Kafka an Felice   [Prag,] vom 5. zum 6. I. 13
Wieder einmal schlecht, ganz schlecht gearbeitet, Liebste! Daß es sich nicht ständig halten läßt, sondern sich einem eben wie ein Lebendiges unter den Händen windet! (F. 229)

Kafka an Felice   [Prag,] vom 14. zum 15. I. 13
Einmal schriebst Du, Du wolltest bei mir sitzen, während ich schreibe; denke nur, da könnte ich nicht schreiben (ich kann auch sonst nicht viel) aber da könnte ich gar nicht schreiben. Schreiben heißt ja sich öffnen bis zum Übermaß; die äußerste Offenherzigkeit und Hingabe, in der sich ein Mensch im menschlichen Verkehr schon zu verlieren glaubt und vor der er also, solange er bei Sinnen ist, immer zurückscheuen wird – denn leben will jeder, solange er lebt – diese Offenherzigkeit und Hingabe genügt zum Schreiben bei weitem nicht. Was von dieser Oberfläche ins Schreiben hinübergenommen wird – wenn es nicht anders geht und die tiefern Quellen schweigen – ist nichts und fällt in dem Augenblick zusammen, in dem ein wahreres Gefühl diesen obern Boden zum Schwanken bringt. Deshalb kann man nicht genug allein sein, wenn man

schreibt, deshalb kann es nicht genug still um einen sein, wenn man schreibt, die Nacht ist noch zu wenig Nacht. Deshalb kann nicht genug Zeit einem zur Verfügung stehn, denn die Wege sind lang, und man irrt leicht ab, man bekommt sogar manchmal Angst und hat schon ohne Zwang und Lockung Lust zurückzulaufen (eine später immer schwer bestrafte Lust), wie erst, wenn man unversehens einen Kuß vom liebsten Mund bekäme! Oft dachte ich schon daran, daß es die beste Lebensweise für mich wäre, mit Schreibzeug und einer Lampe im innersten Raume eines ausgedehnten, abgesperrten Kellers zu sein. Das Essen brächte man mir, stellte es immer weit von meinem Raum entfernt hinter der äußersten Tür des Kellers nieder. Der Weg um das Essen, im Schlafrock, durch alle Kellergewölbe hindurch wäre mein einziger Spaziergang. Dann kehrte ich zu meinem Tisch zurück, würde langsam und mit Bedacht essen und wieder gleich zu schreiben anfangen. Was ich dann schreiben würde! Aus welchen Tiefen ich es hervorreißen würde! Ohne Anstrengung! Denn äußerste Koncentration kennt keine Anstrengung. Nur, daß ich es vielleicht nicht lange treiben würde und beim ersten, vielleicht selbst in solchem Zustand nicht zu vermeidendem Mißlingen in einen großartigen Wahnsinn ausbrechen müßte. (F. 250)

Kafka an Felice   [Prag,] vom 17. zum 18. I. 13
Ich habe heute nichts geschrieben, und sobald ich das Buch weglege, befällt mich pünktlich die Unsicherheit, die hinter dem Nichtschreiben hergeht als sein böser Geist. Nur ein guter Geist könnte ihn vertreiben, und er müßte ganz nahe bei mir sein und mir sein Wort, das ein großes Gewicht hätte, dafür verpfänden, daß der Verlust eines Abends, an dem ich nichts (infolge dessen auch nichts Schlechtes) geschrieben habe, nicht unersätzlich sei (wie er es ja tatsächlich ist, aber es müßte eben jener Mund sein, der jetzt am Sonntag vormittag diese Zeilen anlächelt, und dem ich eben alles glaube) und daß ich meine Fähigkeit zu schreiben, in ihrer ganzen Fragwürdigkeit, infolge des einen ungenützten Abends nicht verlieren werde, wie ich, ganz allein an meinem Tisch (im geheizten Wohnzimmer, Hausmütterchen!) sehr ernsthaft befürchte. Ich bin zu müde zum Schreiben gewesen (eigentlich nicht zu müde, aber ich

befürchtete große Müdigkeit, nun, 1 Uhr ist es schon), gestern kam ich ja erst um 3 Uhr nach Hause, aber auch dann wollte das Einschlafen noch lange nicht gelingen, und ganz unschuldig wurde mir noch die 5te Stunde in das schrecklich aufmerksame Ohr geläutet.

(F. 254)

Kafka an Felice   [Prag,] vom 18. zum 19. II. 13

Hilf mir, Liebste, ich bitte Dich, das was ich in den letzten Tagen angerichtet habe, wieder in Ordnung zu bringen. Vielleicht ist gar nichts Eigentliches geschehn und Du hättest ohne mein Geschrei nichts davon bemerkt, aber diese Unruhe, mitten in meine Stumpfheit hineingesteckt, treibt mich herum und ich schreibe Unverantwortliches oder fürchte, es jeden Augenblick zu tun. Die falschen Sätze umlauern meine Feder, schlingen sich um ihre Spitze und werden in die Briefe mitgeschleift. Ich bin nicht der Meinung, daß einem jemals die Kraft fehlen kann, das, was man sagen oder schreiben will, auch vollkommen auszudrücken. Hinweise auf die Schwäche der Sprache und Vergleiche zwischen der Begrenztheit der Worte und der Unendlichkeit des Gefühls sind ganz verfehlt. Das unendliche Gefühl bleibt in den Worten genau so unendlich, wie es im Herzen war. Das was im Innern klar ist, wird es auch unweigerlich in Worten. Deshalb muß man niemals um die Sprache Sorge haben, aber im Anblick der Worte oft Sorge um sich selbst. Wer weiß denn aus sich selbst heraus, wie es um einen steht. Dieses stürmische oder sich wälzende oder sumpfige Innere sind ja wir selbst, aber auf dem im geheimen sich vollziehenden Weg, auf dem die Worte aus uns hervorgetrieben werden, wird die Selbsterkenntnis an den Tag gebracht, und wenn sie auch noch immer verhüllt ist, so ist sie doch vor uns und ein herrlicher oder schrecklicher Anblick. Nimm mich also, Liebste, in Schutz vor diesen widerlichen Worten, die ich da in der letzten Zeit aus mir herausbefördert habe.

(F. 305 f.)

Kafka an Felice   [Prag,] vom 19. zum 20. II. 13

Nun beantworte ich aber seit einiger Zeit überhaupt keine Fragen mehr, schreibe gar nichts Wirkliches mehr, weil eben dieses Unwirkliche mir die schönste Wirklichkeit verdunkeln will und ich es durch Schreiben zu vertreiben suchen muß.   (F. 307 f.)

Kafka an Felice   [Prag,] vom 2. zum 3. III. 13

Das was mich in der letzten Zeit ergriffen hatte, ist kein Ausnahms-
zustand, ich kenne ihn 15 Jahre lang, ich war mit Hilfe des Schreibens für längere Zeit aus ihm herausgekommen und habe in Un-
kenntnis dessen, wie schrecklich provisorisch dieses »Herauskom-
men« war, den Mut gehabt, mich an Dich zu wenden und habe auf
meine scheinbare Wiedergeburt pochend geglaubt, vor jedem die
Verantwortung dafür übernehmen zu können, daß ich versuchte,
Dich, das Liebste, was ich in meinem Leben gefunden hatte, zu mir
herüberzuziehn.   (F. 322)

Kafka an Felice   [Prag,] vom 17. zum 18. III. 13

Du hast recht, Felice, ich zwinge mich in der letzten Zeit öfters, Dir
zu schreiben, aber mein Schreiben an Dich und mein Leben sind
sehr nahe zusammengerückt, und auch zu meinem Leben zwinge
ich mich; soll ich das nicht?
Es kommt mir auch fast kein Wort vom Ursprung her, sondern wird
weit am Wege irgendwo, zufällig, unter übergroßen Umständen
festgepackt. Als ich im vollen Schreiben und Leben war, schrieb ich
Dir einmal, daß jedes wahre Gefühl die zugehörigen Worte nicht
sucht, sondern mit ihnen zusammenstößt oder gar von ihnen getrieben wird. Vielleicht ist es so doch nicht ganz wahr.
Wie könnte ich aber auch, selbst bei noch so fester Hand, alles im
Schreiben an Dich erreichen, was ich erreichen will: Dich gleichzeitig von dem Ernst der zwei Bitten überzeugen: »Behalte mich
lieb« und »Hasse mich!«   (F. 341)

Kafka an Felice   [Prag,] 20. IV. 13

Könnte ich schreiben, Felice! Das Verlangen danach brennt mich
aus. Hätte ich genug Freiheit und Gesundheit vor allem dazu. Ich
glaube, Du hast es nicht genug begriffen, daß Schreiben meine einzige innere Daseinsmöglichkeit ist. Es ist kein Wunder, ich drücke
es immer falsch aus, erst zwischen den innern Gestalten werde ich
wach, darüber aber, über mein Verhalten nämlich, kann ich nicht
überzeugend schreiben und nicht reden. Das ist auch nicht nötig,
wenn ich nur alles andere hätte.   (F. 367)

Kafka an Felice   [Prag,] 20. IV. 1913
Mein heutiger Brief vom Nachmittag wird angerissen ankommen,
ich habe ihn auf dem Weg zum Bahnhof angerissen aus ohnmäch-
tiger Wut darüber, daß ich Dir nicht wahr und deutlich schreiben
kann, nicht wahr und deutlich, wie ich es auch versuche, daß es mir
also nicht einmal im Schreiben gelingt, Dich festzuhalten und
irgendwie Dir meinen Herzschlag mitzuteilen und daß ich dann
also auch über das Schreiben hinaus nichts erwarten darf. So habe
ich z. B. nachmittag geschrieben, daß ich nur unter den innern Gestalten wach werde oder ähnlich. Das ist natürlich falsch und übertrieben und doch wahr und einzig wahr. Aber so mache ich es Dir
nie begreiflich, mir dagegen widerlich. Und doch darf ich nicht die
Feder weglegen, was das beste wäre, sondern muß es immer wieder versuchen und immer wieder muß es mißlingen und auf mich
zurückfallen.   (F. 368)

Kafka an Felice   [Prag, 10. –] 16. VI. 13
[. . .] aber ich komme ja auch mit mir nicht aus, außer wenn ich
schreibe.   (F. 402)

                                                  21. Juni 1913
Die ungeheuere Welt, die ich im Kopfe habe. Aber wie mich befreien
und sie befreien, ohne zu zerreißen. Und tausendmal lieber zerreißen, als sie in mir zurückhalten oder begraben. Dazu bin ich ja
hier, das ist mir ganz klar.   (T. 306)

Kafka an Felice   [Prag,] 21. [22. und 23.] VI. 13
Liebste, auch das und vielleicht das vor allem berücksichtigst Du in
Deinen Überlegungen nicht genug, trotzdem wir schon viel darüber geschrieben haben: daß nämlich das Schreiben mein eigentliches gutes Wesen ist. Wenn etwas an mir gut ist, so ist es dieses.
Hätte ich dies nicht, diese Welt im Kopf, die befreit sein will, ich
hätte mich nie an den Gedanken gewagt, Dich bekommen zu wollen. Was Du jetzt zu meinem Schreiben sagst, kommt nicht so sehr
in Betracht, Du wirst, wenn wir beisammen sein sollten, bald einsehn, daß, wenn Du mein Schreiben mit oder wider Willen nicht
lieben wirst, Du überhaupt nichts haben wirst, woran Du Dich

halten könntest. Du wirst dann schrecklich einsam sein, Felice, Du wirst nicht merken, wie ich Dich liebe, und ich werde Dir kaum zeigen können, wie ich Dich liebe, trotzdem ich Dir dann vielleicht ganz besonders angehören werde, heute wie immer. Langsam werde ich ja zerrieben zwischen dem Bureau und dem Schreiben (das gilt auch für jetzt, trotzdem ich seit 5 Monaten nichts geschrieben habe), wäre das Bureau nicht, dann wäre freilich alles anders und diese Warnungen müßten nicht so streng sein, so aber muß ich mich doch zusammenhalten, so gut es nur geht. Was sagst Du aber, liebste Felice, zu einem Eheleben, wo, zumindest während einiger Monate im Jahr, der Mann um ¹/₂3 oder 3 aus dem Bureau kommt, ißt, sich niederlegt, bis 7 oder 8 schläft, rasch etwas ißt, eine Stunde spazieren geht, dann zu schreiben anfängt und bis 1 oder 2 Uhr schreibt. Könntest Du denn das ertragen? Vom Mann nichts zu wissen, als daß er in seinem Zimmer sitzt und schreibt? Und auf diese Weise den Herbst und den Winter verbringen? Und gegen das Frühjahr zu den Halbtoten an der Tür des Schreibzimmers empfangen und im Frühjahr und Sommer zusehn, wie er sich für den Herbst zu erholen sucht? Ist das ein mögliches Leben? Vielleicht, vielleicht ist es möglich, aber Du mußt es doch bis zum letzten Schatten eines Bedenkens überlegen.   (F. 407 f.)

Kafka an Felice   [Prag,] 26. VI. 13
Mein Verhältnis zum Schreiben und mein Verhältnis zu den Menschen ist unwandelbar und in meinem Wesen, nicht in den zeitweiligen Verhältnissen begründet. Ich brauche zu meinem Schreiben Abgeschiedenheit, nicht »wie ein Einsiedler«, das wäre nicht genug, sondern wie ein Toter. Schreiben in diesem Sinne ist ein tieferer Schlaf, also Tod, und so wie man einen Toten nicht aus seinem Grabe ziehen wird und kann, so auch mich nicht vom Schreibtisch in der Nacht. Das hat nichts Unmittelbares mit dem Verhältnis zu Menschen zu tun, ich kann eben nur auf diese systematische, zusammenhängende und strenge Art schreiben und infolgedessen auch nur so leben.
[...]
Das Bureau? Daß ich es einmal aufgeben kann, ist überhaupt ausgeschlossen. Ob ich es aber nicht einmal aufgeben muß, weil ich

nicht mehr weiterkann, das ist durchaus nicht so ausgeschlossen. Meine innere Unsicherheit und Unruhe ist in dieser Hinsicht schrecklich, und auch hier ist das Schreiben der einzige und eigentliche Grund. Die Sorgen um Dich und mich sind Lebenssorgen und gehören mit in den Bereich des Lebens und würden deshalb gerade mit der Arbeit im Bureau sich schließlich vertragen können, aber Schreiben und Bureau schließen einander aus, denn Schreiben hat das Schwergewicht in der Tiefe, während das Bureau oben im Leben ist. So geht es auf und ab und man muß davon zerrissen werden. (F. 412 f.)

Kafka an Felice   [Prag,] 1. VII. 13
Du hast mich darin mißverstanden, ich sagte nicht, durch das Schreiben solle alles klarer werden, werde aber schlimmer, sondern ich sagte, durch das Schreiben werde alles klarer *und* schlimmer. So meinte ich es. Du aber meinst es nicht so und willst doch zu mir. (F. 416)

3. Juli 1913
Wenn ich etwas sage, verliert es sofort und endgültig die Wichtigkeit, wenn ich es aufschreibe, verliert es sie auch immer, gewinnt aber manchmal eine neue. (T. 308)

21. Juli 1913
Ich muß viel allein sein. Was ich geleistet habe, ist nur ein Erfolg des Alleinseins.
Alles, was sich nicht auf Literatur bezieht, hasse ich, es langweilt mich, Gespräche zu führen (selbst wenn sie sich auf Literatur beziehen) [...] Gespräche nehmen allem, was ich denke, die Wichtigkeit, den Ernst, die Wahrheit.
[...]
Ich bin vor meinen Schwestern, besonders früher war es so, oft ein ganz anderer Mensch gewesen als vor andern Leuten. Furchtlos, bloßgestellt, mächtig, überraschend, ergriffen wie sonst nur beim Schreiben. Wenn ich es durch Vermittlung meiner Frau vor allen sein könnte! Wäre es dann aber nicht dem Schreiben entzogen? Nur das nicht, nur das nicht! (T. 311 f.)

Kafka an Felice   [Prag, 14. August 1913]
Der Mann in Euerer Pension soll die Graphologie lassen [. . .] Ich
habe kein literarisches Interesse, sondern bestehe aus Literatur, ich
bin nichts anderes und kann nichts anderes sein. Ich habe letzthin in
einer »Geschichte des Teufelsglaubens« folgende Geschichte gelesen:
»Ein Kleriker hatte eine so schöne süße Stimme, daß sie zu hören
die größte Lust gewährte. Als ein Geistlicher diese Lieblichkeit eines
Tages auch gehört hatte, sagte er: das ist nicht die Stimme eines
Menschen, sondern des Teufels. In Gegenwart aller Bewunderer be-
schwor er den Dämon, der auch ausfuhr, worauf der Leichnam
(denn hier war eben ein menschlicher Leib anstatt von der Seele vom
Teufel belebt gewesen) zusammensank und stank.« [8] Ähnlich, ganz
ähnlich ist das Verhältnis zwischen mir und der Literatur, nur daß
meine Literatur nicht so süß ist wie die Stimme jenes Mönches. –
Man muß allerdings schon ein ganz ausgepichter Graphologe sein,
um das aus meiner Schrift herauszufinden.   (F. 444 f.)

Kafka an Felice   [Prag,] 20. VIII. 13
Mir widerstrebt das Reden ganz und gar. Was ich auch sage ist
falsch in meinem Sinn. Die Rede nimmt allem, was ich sage, für
mich den Ernst und die Wichtigkeit. Es scheint mir gar nicht anders
möglich, da auf die Rede unaufhörlich tausend Äußerlichkeiten und
tausend äußerliche Nötigungen wirken. Ich bin deshalb schweigsam, nicht nur aus Not, sondern auch aus Überzeugung. Nur das
Schreiben ist die mir entsprechende Form [der] Äußerung, und sie
wird es bleiben, auch wenn wir beisammen sind. Wird Dir aber,
die Du von Deiner Natur auf das Sprechen und Zuhören ange-
wiesen bist, das, was mir zu schreiben gegönnt sein wird, als meine
wesentliche, einzige (zwar vielleicht nur an Dich gerichtete) Mitteilung genügen?   (F. 448)

Kafka an Felice   [Prag,] 22. VIII. 13
Und ich allein habe doch alle Sorge und Angst in mir, lebendig wie
Schlangen, ich allein sehe ununterbrochen in sie hinein, nur ich

8 Zitiert aus Gustav Roskoff, »Geschichte des Teufels«. Leipzig
1869, Bd. 1, S. 326. Die Einfügung in Klammern ist von Kafka.

weiß, wie es um sie steht. Du erfährst nur durch mich, nur durch Briefe von ihnen, und das was Dir dadurch von ihnen überliefert wird, verhält sich an Schrecken, an Beharrlichkeit, an Größe, an Unbesiegbarkeit zu dem Wirklichen nicht einmal so, wie sich mein Geschriebenes zu dem Wirklichen verhält, und das ist doch schon ein gar nicht zu umfassendes Mißverhältnis. Das sehe ich klar, wenn ich Deinen lieben zuversichtlichen gestrigen Brief lese, bei dessen Schreiben Du ganz die Erinnerung, in der Du mich von Berlin her hältst, vergessen haben mußt. Nicht das Leben dieser Glücklichen, die Du in Westerland vor Dir hergehen siehst, erwartet Dich, nicht ein lustiges Plaudern Arm in Arm, sondern *ein klösterliches Leben an der Seite eines verdrossenen, traurigen, schweigsamen, unzufriedenen, kränklichen Menschen,* der, was Dir wie ein Irresein erscheinen wird, mit unsichtbaren Ketten an eine unsichtbare Literatur gekettet ist, und der schreit, wenn man in die Nähe kommt, weil man, wie er behauptet, diese Kette betastet.   (F. 450)

Kafka an Felice   [Prag,] 24. VIII. 13
Nicht ein Hang zum Schreiben, Du liebste Felice, kein Hang, sondern durchaus ich selbst. Ein Hang ist auszureißen oder niederzudrücken. Aber dieses bin ich selbst; gewiß bin auch ich auszureißen und niederzudrücken, aber was geschieht mit Dir? Du bleibst verlassen und lebst doch neben mir. Du wirst Dich verlassen fühlen, wenn ich lebe, wie ich muß, und Du wirst wirklich verlassen sein, wenn ich nicht so lebe. Kein Hang, kein Hang! Meine kleinste Lebensäußerung wird dadurch bestimmt und gedreht. Du wirst Dich an mich gewöhnen, Liebste, schreibst Du, aber unter welchen, vielleicht unerträglichen Leiden. Bist Du imstande, Dir ein Leben richtig vorzustellen, währenddessen, wie ich es Dir schon schrieb, wenigstens im Herbst und Winter, für uns täglich gerade nur *eine* gemeinsame Stunde sein wird und Du als Frau die Einsamkeit schwerer noch tragen wirst, als Du es Dir heute als Mädchen in der Dir gewohnten, entsprechenden Umgebung nur von der Ferne denken kannst? Vor dem Kloster würdest Du unter Lachen zurückschrecken und willst mit einem Menschen leben, den sein eingeborenes Streben (und nur nebenbei auch seine Verhältnisse) zu einem Klosterleben verpflichten?   (F. 451)

Kafka an Carl Bauer⁹   [Prag, 28. August 1913]
Mein ganzes Wesen ist auf Literatur gerichtet, die Richtung habe
ich bis zu meinem 30[s]ten Jahr genau festgehalten; wenn ich sie
einmal verlasse, lebe ich eben nicht mehr. Alles was ich bin und
nicht bin, folgert daraus. Ich bin schweigsam, ungesellig, verdros-
sen, eigennützig, hypochondrisch und tatsächlich kränklich. Ich be-
klage im Grunde nichts von alledem, es ist der irdische Widerschein
höherer Notwendigkeit. (Was ich wirklich kann, steht hier natürlich nicht in Frage, hat keinen Zusammenhang damit.)   (F. 456 f.)

18. November 1913
Ich werde wieder schreiben, aber wie viele Zweifel habe ich inzwischen an meinem Schreiben gehabt. Im Grunde bin ich ein un-
fähiger unwissender Mensch [...]   (T. 329)

Gespräch Kafkas mit Max Brod   [1913–14]
»Man muß ins Dunkel hineinschreiben wie in einen Tunnel.«
(B. ü. K. 349)

9. März 1914
Ich konnte damals nicht heiraten, alles in mir hat dagegen revol-
tiert, so sehr ich F. immer liebte. Es war hauptsächlich die Rücksicht auf meine schriftstellerische Arbeit, die mich abhielt, denn ich
glaubte diese Arbeit durch die Ehe gefährdet. Ich mag recht gehabt
haben; durch das Junggesellentum aber innerhalb meines jetzigen
Lebens ist sie vernichtet. Ich habe ein Jahr lang nichts geschrieben,
ich kann auch weiterhin nichts schreiben, ich habe und behalte im
Kopf nichts als den einen Gedanken und der zerfrißt mich. Das
alles habe ich damals nicht überprüfen können. Übrigens gehe ich
bei meiner durch diese Lebensweise zumindest genährten Unselbständigkeit an alles zögernd heran und bringe nichts mit dem ersten
Schlag fertig. So war es auch hier.   (T. 365)

8. April 1914
Gestern unfähig, auch nur ein Wort zu schreiben. Heute nicht besser. Wer erlöst mich? Und in mir das Gedränge, in der Tiefe, kaum

9 Felices Vater

zu sehn. Ich bin wie ein lebendiges Gitterwerk, ein Gitter, das fest-
steht und fallen will. (T. 372)

Kafka an Grete Bloch [Prag,] 18. IV. 14
Das Schreiben selbst verführt oft zu falschen Fixierungen. Es gibt
eine Schwerkraft der Sätze, der man sich nicht entziehen kann.
[...]
[...] ich habe meine Fähigkeit des Schreibens gar nicht in der Hand.
Sie kommt und geht wie ein Gespenst. Seit einem Jahr habe ich
nichts geschrieben, kann auch nichts, so viel ich weiß. Dabei hatte
ich einen Glücksfall in den letzten Tagen entsprechend Ihrer Pa-
tenterteilung: Eine Geschichte [10], übrigens meine größte, aber auch
einzige, vor einem Jahr geschriebene Geschichte ist von der Neuen
Rundschau angenommen, übrigens auch mit andern liebenswür-
digsten Angeboten. (F. 555 f.)

Kafka an Grete Bloch [Prag,] 6. VI. 14
Ach Gott, ich verstand doch, Fräulein Grete, was Ihre Beurteilung
des Schreibens bedeutete. Aber auch gut verstanden, ist sie nicht
richtig, wenn sie auch allerdings befolgt wird. Jeder bringt sich auf
seine Weise aus der Unterwelt hinauf, ich durch das Schreiben. Darum kann ich mich, wenn es sein soll, nur durch das Schreiben, nicht
durch Ruhe und Schlaf, oben erhalten. Viel eher gewinne ich Ruhe
durch das Schreiben, als das Schreiben durch Ruhe. (F. 595)

Kafka an Ottla Kafka [11] [Prag,] 10. VII. 14
Ich schreibe anders als ich rede, ich rede anders als ich denke, ich
denke anders als ich denken soll und so geht es weiter bis ins
tiefste Dunkel. (Br. 130)

6. August 1914
Von der Literatur aus gesehen ist mein Schicksal sehr einfach. Der
Sinn für die Darstellung meines traumhaften innern Lebens hat

10 Vermutlich »Die Verwandlung«, die jedoch nicht in der »Neuen
Rundschau«, sondern in den »Weißen Blättern« (Oktober 1915)
erschien.
11 Kafkas jüngste Schwester.

alles andere ins Nebensächliche gerückt und es ist in einer schrecklichen Weise verkümmert und hört nicht auf zu verkümmern. Nichts anderes kann mich jemals zufriedenstellen. Nun ist aber meine Kraft für jene Darstellung ganz unberechenbar, vielleicht ist sie schon für immer verschwunden, vielleicht kommt sie doch noch einmal über mich, meine Lebensumstände sind ihr allerdings nicht günstig. (T. 420)

30. August 1914

Kalt und leer. Ich fühle allzusehr die Grenzen meiner Fähigkeit, die, wenn ich nicht vollständig ergriffen bin, zweifellos nur eng gezogen sind. Und ich glaube selbst im Ergriffensein nur in diese engen Grenzen gezogen zu werden, die ich dann allerdings nicht fühle, da ich gezogen werde. Trotzdem ist in diesen Grenzen Raum zum Leben und dafür werde ich sie wohl bis zur Verächtlichkeit ausnützen. (T. 436)

Kafka an Felice [Prag, Oktober/November 1914]

Du konntest nicht die Macht einsehn, die meine Arbeit über mich hat, Du sahst sie ein, aber bei weitem nicht vollständig. Infolgedessen mußtest Du alles, was die Sorge um diese Arbeit, nur die Sorge um diese Arbeit, an Sonderbarkeiten in mir hervorrief, die Dich beirrten, unrichtig deuten. Nun traten aber außerdem diese Sonderbarkeiten (zugegebener Weise abscheuliche Sonderbarkeiten, mir selbst am widerlichsten) Dir gegenüber stärker auf als jemandem sonst. Das war sehr natürlich und geschah nicht nur aus Trotz. Sieh, Du warst doch nicht nur der größte Freund, sondern gleichzeitig auch der größte Feind meiner Arbeit, wenigstens von der Arbeit aus gesehn, und sie mußte sich deshalb ebenso, wie sie Dich in ihrem Kern über alle Grenzen liebte, in ihrer Selbsterhaltung mit allen Kräften gegen Dich wehren. (F. 616)
[...]
Ich hatte die Pflicht, über meiner Arbeit zu wachen, die mir allein das Recht zum Leben gibt, und Deine Angst zeigte mir oder ließ mich fürchten (mit einer viel unerträglicheren Angst), daß hier für meine Arbeit die größte Gefahr bestand. »Ich war nervös, ich war

zermürbt, ich glaubte am Ende meiner Kraft zu sein«, so wie Du schreibst, war es. So wild haben die zwei in mir nie gekämpft wie damals. (F. 616 ff.)

13. Dezember 1914

Auf dem Nachhauseweg sagte ich Max, daß ich auf dem Sterbebett, vorausgesetzt daß die Schmerzen nicht zu groß sind, sehr zufrieden sein werde. Ich vergaß hinzuzufügen und habe es später mit Absicht unterlassen, daß das Beste, was ich geschrieben habe, in dieser Fähigkeit, zufrieden sterben zu können, seinen Grund hat. An allen diesen guten und stark überzeugenden Stellen handelt es sich immer darum, daß jemand stirbt, daß es ihm sehr schwer wird, daß darin für ihn ein Unrecht und wenigstens eine Härte liegt und daß das für den Leser, wenigstens meiner Meinung nach, rührend wird. Für mich aber, der ich glaube, auf dem Sterbebett zufrieden sein zu können, sind solche Schilderungen im geheimen ein Spiel, ich freue mich ja in dem Sterbenden zu sterben, nütze daher mit Berechnung die auf den Tod gesammelte Aufmerksamkeit des Lesers aus, bin bei viel klarerem Verstande als er, von dem ich annehme, daß er auf dem Sterbebett klagen wird, und meine Klage ist daher möglichst vollkommen, bricht auch nicht etwa plötzlich ab wie wirkliche Klage, sondern verläuft schön und rein. Es ist so, wie ich der Mutter gegenüber immer über Leiden mich beklagte, die bei weitem nicht so groß waren, wie die Klage glauben ließ. Gegenüber der Mutter brauchte ich allerdings nicht so viel Kunstaufwand wie gegenüber dem Leser. (T. 448 f.)

17. Januar 1915

Eingesehn, daß ich die Zeit seit August durchaus nicht genügend ausgenützt habe. Die fortwährenden Versuche, durch viel Schlaf am Nachmittag die Fortsetzung der Arbeit bis tief in die Nacht zu ermöglichen, waren sinnlos, denn ich konnte doch schon nach den ersten vierzehn Tagen sehn, daß es mir meine Nerven nicht erlauben, nach ein Uhr schlafen zu gehn, denn dann schlafe ich überhaupt nicht mehr ein, der nächste Tag ist unerträglich und ich zerstöre mich. Ich bin also nachmittags zu lange gelegen, habe in der Nacht aber selten über ein Uhr gearbeitet, immer aber frühestens gegen elf Uhr angefangen. Das war falsch. Ich muß um acht oder neun Uhr anfangen, die Nacht ist gewiß die beste Zeit (Urlaub!), aber sie ist mir unzugänglich. (T. 455)

18. Januar 1915
Unfähig zu längerer konzentrierter Arbeit. Auch zu wenig im Freien gewesen. Trotzdem eine neue Geschichte angefangen, die alten fürchtete ich zu verderben. Nun stehen vor mir vier oder fünf Geschichten aufgerichtet, wie die Pferde vor dem Zirkusdirektor Schumann bei Beginn der Produktion. (T. 456)

20. Januar 1915
Ende des Schreibens. Wann wird es mich wieder aufnehmen? In welchem schlechten Zustand komme ich mit F. zusammen! Die mit Aufgabe des Schreibens sofort eintretende Schwerfälligkeit des Denkens, Unfähigkeit, mich für die Zusammenkunft vorzubereiten, während ich vorige Woche wichtige Gedanken dafür kaum abschütteln konnte. Möge ich den einzig hiebei denkbaren Gewinn genießen: bessern Schlaf. (T. 458)

29. Januar 1915
Wieder zu schreiben versucht, fast nutzlos. Letzte zwei Tage bald schlafen gegangen, um zehn Uhr, wie schon seit langer Zeit nicht. (T. 461)

30. Januar 1915
Die alte Unfähigkeit. Kaum zehn Tage lang das Schreiben unterbrochen und schon ausgeworfen. Wieder stehn die großen Anstrengungen bevor. Es ist notwendig, förmlich unterzutauchen und schneller zu sinken als das vor einem Versinkende. (T. 461)

7. Februar 1915
Vollständige Stockung. Endlose Quälereien. (T. 462)

1. März 1915
Immerhin ist heute der erste (oder zweite) Tag, an dem ich, wenn ich nicht sehr starke Kopfschmerzen hätte, recht gut hätte arbeiten können. Habe eine Seite rasch hingeschrieben. (T. 465)

11. März 1915

Wie die Zeit hingeht, schon wieder zehn Tage und ich erreiche nichts. Ich dringe nicht durch. Eine Seite gelingt hie und da, aber ich kann mich nicht halten, am nächsten Tag bin ich machtlos.

(T. 465)

13. März 1915

Nicht mehr nach Hause zum Nachtmahl gegangen, auch nicht zu Max, wo heute ein gemeinsamer Abend war. Gründe: Appetit-losigkeit, Angst vor der Rückkehr spät am Abend, vor allem aber der Gedanke daran, daß ich gestern nichts geschrieben habe, mich immer mehr davon entferne und in Gefahr bin, alles im letzten halben Jahr mühselig Erworbene zu verlieren. Den Beweis dafür geliefert, indem ich eineinhalb elende Seiten einer neuen und schon endgültig verworfenen Geschichte schrieb und dann in einer ge-wiß vom Zustand des lustlosen Magens mitverschuldeten Ver-zweiflung [Alexander] Herzen las, um mich irgendwie von ihm weiterführen zu lassen. (T. 466)

9. April 1915

Qualen der Wohnung. Grenzenlos. Ein paar Abende gut gearbeitet. Hätte ich in den Nächten arbeiten dürfen! Heute durch Lärm am Schlafen, am Arbeiten, an allem gehindert. (T. 468)

29. September 1915

Konnte mich nachmittags nicht abhalten, das gestern Geschriebene, »den Schmutz des vorigen Tages« zu lesen, ohne Schaden übrigens.
(T. 481)

5. November 1915

Aufregungszustand Nachmittag [...] Allmählich verwandelte sich aber die Aufregung, die Gedanken wurden auf das Schreiben hin-gelenkt, ich fühlte mich dazu fähig, wollte nichts anderes als die Möglichkeit des Schreibens haben, überlegte, welche Nächte ich in der nächsten Zeit dafür bestimmen könnte, lief unter Herzschmer-zen über die steinerne Brücke, fühlte das schon so oft erfahrene Un-glück des verzehrenden Feuers, das nicht ausbrechen darf, erfand, um mich auszudrücken und zu beruhigen, den Spruch »Freundchen, ergieße dich«, sang ihn unaufhörlich nach einer besonderen Melodie und begleitete den Gesang, indem ich ein Taschentuch in der Tasche wie einen Dudelsack immer wieder drückte und losließ. (T. 486 f.)

20. April 1916
Bitter, bitter, das ist das hauptsächlichste Wort. Wie will ich eine schwingende Geschichte aus Bruchstücken zusammenlöten? (T. 498)

Kafka an Felice   [Prag,] 30. Oktober 16
Mein Leben besteht aus zwei Teilen, der eine Teil nährt sich mit vollen Backen von Deinem Leben und wäre an sich glücklich und ein großer Mann, der andere Teil aber ist wie ein losgemachtes Spinngewebe, Freisein von Rüttelung, Freisein von Kopfschmerzen ist seine höchste, nicht allzu häufige Seligkeit. Was fangen wir mit diesem zweiten Teile an? Jetzt wird es zwei Jahre, daß er zum letzten Mal gearbeitet hat und ist doch nichts anderes als Fähigkeit und Lust zu dieser Arbeit. (F. 736 f.)

Kafka an Felice   [Prag,] 14. XII. 16
In meinem Haus schlage ich mich mit Unmöglichkeiten herum, die ich an einem Tage mache, um sie am andern Tag mit noch zehnmal größerer Kraft als mit der sie gemacht wurden, durchzustreichen.
(F. 746 f.)

Kafka an Felice   [Prag,] 20. XII. 16
Kann ich nichts, bin ich unglücklich; kann ich etwas, reicht die Zeit nicht; und hoffe ich auf die Zukunft, so ist gleich die Angst, die verschiedenartige Angst hier, daß ich dann erst recht nicht werde arbeiten können. Eine fein ausgerechnete Hölle. Aber – und das ist jetzt die Hauptsache – sie ist nicht ohne gute Augenblicke.
(F. 747)

19. September 1917
Mir immer unbegreiflich, daß es jedem fast, der schreiben kann, möglich ist, im Schmerz den Schmerz zu objektivieren, so daß ich zum Beispiel im Unglück, vielleicht noch mit dem brennenden Unglückskopf mich setzen und jemandem schriftlich mitteilen kann: Ich bin

unglücklich. Ja, ich kann noch darüber hinausgehn und in verschiedenen Schnörkeln je nach Begabung, die mit dem Unglück nichts zu tun zu haben scheint, darüber einfach oder antithetisch oder mit ganzen Orchestern von Assoziationen phantasieren. Und es ist gar nicht Lüge und stillt den Schmerz nicht, ist einfach gnadenweiser Überschuß der Kräfte in einem Augenblick, in dem der Schmerz doch sichtbar alle meine Kräfte bis zum Boden meines Wesens, den er aufkratzt, verbraucht hat. Was für ein Überschuß ist es also?

(T. 530 f.)

Kafka an Max Brod   [Zürau, Anfang Oktober 1917]
Ich schreibe nicht. Mein Wille geht auch nicht geradezu aufs Schreiben. Könnte ich mich wie die Fledermaus durch Graben von Löchern retten, würde ich Löcher graben.   (Br. 179)

Kafka an Felix Weltsch   [Zürau, Mitte Dezember 1917]
Daß solcher Ärger zur Arbeit notwendig ist, glaube ich eigentlich nicht, das zur Arbeit nötige Zufluchtverlangen ist schon durch das allgemeine alte Rippenwunder und die daraus hervorgehende Vertreibung gegeben.   (Br. 212)

Aus »Das dritte Oktavheft«   11. Dezember [1917]
Unsere Kunst ist ein von der Wahrheit Geblendet-Sein: Das Licht auf dem zurückweichenden Fratzengesicht ist wahr, sonst nichts.

(H. 93 f.)

Aus »Das dritte Oktavheft«   22. Januar [1918]
Der Standpunkt der Kunst und des Lebens ist auch im Künstler selbst ein verschiedener.
Die Kunst fliegt um die Wahrheit, aber mit der entschiedenen Absicht, sich nicht zu verbrennen. Ihre Fähigkeit besteht darin, in der dunklen Leere einen Ort zu finden, wo der Strahl des Lichts, ohne daß dies vorher zu erkennen gewesen wäre, kräftig aufgefangen werden kann.   (H. 104)

Kafka an Max Brod   [Zürau, Anfang April 1918]
Im übrigen wiederholt sich mir immer das Gleiche: am Werk wird der Schriftsteller nachgeprüft; stimmt es, so ist es gut; ist es in einer

schönen oder melodischen Nichtübereinstimmung, ist es auch gut; ist es aber in einer sich reibenden Nichtübereinstimmung, ist es schlecht. Ich weiß nicht, ob solche Prinzipien überhaupt anwendbar sind, gern würde ich es leugnen, vorstellbar wäre es mir aber für eine von lebendiger Idee geordnete Welt, wo die Kunst den mir aus Erfahrung unbekannten Platz hätte, der ihr gebührt [...] Ich meine: eine Analyse, wie sie für die Anwendung jener Prinzipien Voraussetzung wäre, ist uns gegenüber nicht möglich, wir bleiben immer ganz (in diesem Sinn), wir haben, wenn wir etwas schreiben, nicht etwa den Mond ausgeworfen, auf dem man Untersuchungen über seine Abstammung machen könnte, sondern wir sind mit allem, was wir haben, auf den Mond übersiedelt, es hat sich nichts geändert, wir sind dort, was wir hier waren, im Tempo der Reise sind tausend Unterschiede möglich, in der Tatsache selbst keine, die Erde, die den Mond abgeschüttelt hat, hält sich selbst seitdem fester, wir aber haben uns einer Mondheimat halber verloren, nicht endgültig, hier gibt es nichts Endgültiges, aber verloren. Darum kann ich auch Deine Unterscheidung zwischen Wille und Gefühl hinsichtlich des Werkes nicht mitfühlen (oder vielleicht nur infolge der Namengebung und außerdem, zur Einschränkung, spreche ich doch eigentlich nur für mich, hole also zu weit aus, kann aber nicht anders, habe keinen anderen Gesichtskreis). Wille und Gefühl, alles ist immer und richtig als ein Lebendiges vorhanden, hier läßt sich nichts trennen (erstaunlich, jetzt komme ich ohne es gewußt zu haben, zu einem ähnlichen Schluß wie Du), die einzige Trennung, die gemacht werden kann, die Trennung von der Heimat ist schon vollzogen, kann vom Kritiker schon mit geschlossenen Augen festgestellt, aber niemals in ihren, gegenüber der Unendlichkeit auch ganz unwesentlichen Unterschieden bewertet werden. Darum scheint mir jede Kritik, die mit Begriffen von Echt, Unecht umgeht, und Wille und Gefühl des nicht vorhandenen Autors im Werk sucht, ohne Sinn und eben nur dadurch zu erklären, daß auch sie ihre Heimat verloren hat und alles eben in einer Reihe geht, ich glaube natürlich: die bewußte Heimat verloren hat.   (Br. 240 f.)

Aus »Brief an den Vater«   [November 1919]
Richtiger trafst Du mit Deiner Abneigung mein Schreiben und was,

Dir unbekannt, damit zusammenhing. Hier war ich tatsächlich ein
Stück selbständig von Dir weggekommen, wenn es auch ein wenig
an den Wurm erinnerte, der, hinten von einem Fuß niedergetreten,
sich mit dem Vorderteil losreißt und zur Seite schleppt. Einiger-
maßen in Sicherheit war ich, es gab ein Aufatmen; die Abneigung,
die Du natürlich auch gleich gegen mein Schreiben hattest, war mir
hier ausnahmsweise willkommen. Meine Eitelkeit, mein Ehrgeiz
litten zwar unter Deiner für uns berühmt gewordenen Begrüßung
meiner Bücher: »Legs auf den Nachttisch!« (meistens spieltest Du
ja Karten, wenn ein Buch kam), aber im Grunde war mir dabei
doch wohl, nicht nur aus aufbegehrender Bosheit, nicht nur aus
Freude über eine neue Bestätigung meiner Auffassung unseres Verhältnisses, sondern ganz ursprünglich, weil jene Formel mir klang
wie etwa: »Jetzt bist Du frei!« Natürlich war es eine Täuschung,
ich war nicht oder allergünstigsten Falles noch nicht frei. Mein
Schreiben handelte von Dir, ich klagte dort ja nur, was ich an Deiner Brust nicht klagen konnte. Es war ein absichtlich in die Länge
gezogener Abschied von Dir, nur daß er zwar von Dir erzwungen
war, aber in der von mir bestimmten Richtung verlief. Aber wie
wenig war das alles! Es ist ja überhaupt nur deshalb der Rede wert,
weil es sich in meinem Leben ereignet hat, anderswo wäre es gar
nicht zu merken, und dann noch deshalb, weil es mir in der Kind-
heit als Ahnung, später als Hoffnung, noch später oft als Verzweiflung mein Leben beherrschte und mir – wenn man will, doch
wieder in Deiner Gestalt – meine paar kleinen Entscheidungen
diktierte.   H. 202

Aus »Brief an den Vater«   [November 1919]
Ich habe schon angedeutet, daß ich im Schreiben und in dem, was
damit zusammenhängt, kleine Selbständigkeitsversuche, Fluchtver-
suche mit allerkleinstem Erfolg gemacht, sie werden kaum weiterführen, vieles bestätigt mir das. Trotzdem ist es meine Pflicht oder
vielmehr es besteht mein Leben darin, über ihnen zu wachen, keine
Gefahr, die ich abwehren kann, ja keine Möglichkeit einer solchen
Gefahr an sie herankommen zu lassen. Die Ehe ist die Möglichkeit
einer solchen Gefahr, allerdings auch die Möglichkeit der größten
Förderung, mir aber genügt, daß es die Möglichkeit einer Gefahr

ist. Was würde ich dann anfangen, wenn es doch eine Gefahr wäre! Wie könnte ich in der Ehe weiterleben in dem vielleicht unbeweisbaren, aber jedenfalls unwiderleglichen Gefühl dieser Gefahr! Demgegenüber kann ich zwar schwanken, aber der schließliche Ausgang ist gewiß, ich muß verzichten. Der Vergleich von dem Sperling in der Hand und der Taube auf dem Dach paßt hier nur sehr entfernt. In der Hand habe ich nichts, auf dem Dach ist alles und doch muß ich – so entscheiden es die Kampfverhältnisse und die Lebensnot – das Nichts wählen. (H. 218 f.)

Aus »Fragmente« [Ende 1920]
Schreiben als Form des Gebetes. (H. 348)

Kafka an Max Brod [Matliary, Ende Januar 1921]
Aber jetzt schließe ich ab (sonst bekommst Du den Brief vor Deiner Abreise nicht) obwohl ich das, was ich wollte, nicht gesagt habe und erst recht nicht auf dem Umweg über mich den Weg zu Dir gefunden habe, der mir, am Anfang zumindest, dunkel-klar war. Es ist aber eben das Musterbild eines schlechten Schriftstellers, dem das Mitzuteilende wie eine schwere Seeschlange in den Armen liegt, wohin er tastet, nach rechts, nach links nimmt es kein Ende, und selbst was er umfaßt, kann er nicht ertragen. Und wenn es dann überdies noch ein Mensch ist, der vom Abendessen in sein stilles Zimmer zurückkommt und unter der peinlichen Nachwirkung einer bloßen Tischnachbarschaft fast körperlich zittert.
(Br. 298)

Gespräch Kafkas mit Max Brod [1921]
[. . .] sagte Kafka und zeigte mir den mit Tinte geschriebenen Zettel, den man dann in seinem Schreibtisch vorgefunden hat, von außen: »Mein Testament wird ganz einfach sein – die Bitte an dich, alles zu verbrennen.« (P. 318)

6. Dezember 1921
Aus einem Brief: »Ich wärme mich daran in diesem traurigen Winter.« Die Metaphern sind eines in dem vielen, was mich am Schreiben verzweifeln läßt. Die Unselbständigkeit des Schreibens, die Ab-

hängigkeit von dem Dienstmädchen, das einheizt, von der Katze, die sich am Ofen wärmt, selbst vom armen alten Menschen, der sich wärmt. Alles dies sind selbständige, eigengesetzliche Verrichtungen, nur das Schreiben ist hilflos, wohnt nicht in sich selbst, ist Spaß und Verzweiflung. (T. 550 f.)

20. Dezember 1921
Es ist unleugbar ein gewisses Glück, ruhig hinschreiben zu dürfen: »Ersticken ist unausdenkbar fürchterlich.« Freilich unausdenkbar, so wäre also doch wieder nichts hingeschrieben. (T. 551)

Kafka an Robert Klopstock [Prag, Dezember 1921 / Januar 1922]
Die Angst wegen des Arbeitsstoffes ist immer wohl nur ein Stocken des Lebens selbst. Man erstickt im allgemeinen nicht, weil es an Luft, sondern weil es an Lungenkraft mangelt. (Br. 368)

Gespräch Kafkas mit Gustav Janouch [1920–23]
Als der störende Besuch die Kanzlei verließ, wollte ich auf das eben begonnene, interessante Gesprächsthema zurückkommen. Kafka sagte jedoch abschließend: »Lassen wir das. Ein Erzähler kann nicht über das Erzählen sprechen. Er erzählt oder er schweigt. Das ist alles. Seine Welt beginnt in ihm zu tönen, oder sie versinkt in Schweigen. Meine Welt verklingt. Ich bin ausgebrannt.« (J. 206)

Gespräch Kafkas mit Gustav Janouch [1920–23]
»Sünde ist das Zurückweichen vor der eigenen Sendung. Mißverstehen, Ungeduld und Lässigkeit – das ist Sünde. Der Dichter hat die Aufgabe, das isolierte Sterbliche in das unendliche Leben, das Zufällige in das Gesetzmäßige hinüberzuführen. Er hat eine prophetische Aufgabe.«
»Schreiben heißt also führen«, bemerkte ich.
»Das richtige Wort führt; das unrichtige verführt«, sagte Kafka.
»Es ist kein Zufall, daß die Bibel Schrift genannt wird.« (J. 231 f.)

Gespräch Kafkas mit Gustav Janouch [1920–23]
[. . .] Kafka [sagte]: »Flaubert schreibt in einem Brief, daß sein Roman ein Felsen sei, an den er sich halte, um nicht in den Wogen

der Umwelt unterzugehen.« [. . .] Nur ist die Sache bei mir etwas komplizierter. Durch das Gekritzel laufe ich vor mir selbst davon, um mich beim Schlußpunkt selbst zu ertappen. Ich kann mir nicht entrinnen.« (J. 243 f.)

Gespräch Kafkas mit Gustav Janouch [1920–23]
Die 20 Kronen, die ich hier für jede Vorstellung bekam, waren für mich ein immenser Reichtum, und so ließ ich mir für den ersten Wochenlohn Kafkas drei Erzählungen – *Die Verwandlung, Das Urteil* und den *Heizer* – in einen dunkelbraunen Lederband binden, auf dessen Deckel der Buchbinder einen brennenden Dornbusch und darunter den Namen *Franz Kafka* in zart gezeichneter Goldprägung anbrachte.
Das Buch lag in der Aktentasche auf meinen Knien, als ich Doktor Kafka von dem Scheunenkino erzählte. Nun zog ich den Lederband aus der Tasche und reichte ihn, voll Stolz, Franz Kafka über den Tisch hinüber.
»Was ist das?« fragte er erstaunt.
»Das ist mein erster Wochenlohn.«
»Ist das nicht schade?«
Kafkas Augenlider flatterten. Sein Mund war schiefgezogen. Er betrachtete einige Sekunden die Goldprägung mit dem Namen, blätterte flüchtig in dem Buch und legte es – mit deutlich sichtbarer Verstimmung – vor mich auf den Tisch.
Ich wollte schon fragen, was ihm an dem Buch nicht gefalle, als er zu husten begann.
Er holte aus der Jacke ein Taschentuch hervor, hielt es vor den Mund, steckte es ein, als der Anfall verging, stand auf und ging zu dem kleinen Waschtisch hinter seinem Rücken, wusch sich die Hände und meinte dann beim Abtrocknen: »Sie überschätzen mich. Ihr Vertrauen erdrückt mich.«
Er setzte sich zum Schreibtisch und bemerkte mit den Händen an den Schläfen: »Ich bin kein brennender Dornbusch. Ich bin keine Flamme.«
Ich unterbrach ihn: »Das dürfen Sie nicht sagen. Das ist ungerecht. Für mich – zum Beispiel – sind Sie Feuer, Wärme und Licht.«
»Nein, nein!« entgegnete er kopfschüttelnd. »Sie irren. Mein Ge-

schreibsel verdient keinen Ledereinband. Es ist nur mein ganz persönliches Schreckgespenst. Man sollte es überhaupt nicht drucken. Man sollte es verbrennen und auslöschen. Es hat keine Bedeutung.«

Ich wurde wild. »Wer sagt Ihnen das?« – Ich mußte ihm widersprechen. – »Wie können Sie so etwas sagen? Können Sie in die Zukunft sehen? Das, was Sie mir hier sagen, sind nur subjektive Gefühle. Vielleicht wird Ihr Gekritzel, wie Sie sagen, schon morgen eine bedeutungsvolle Stimme der Welt darstellen. Wer kann das heute schon wissen?«

Ich holte tief Atem.

Kafka starrte auf die Tischplatte. In seinen Mundwinkeln hingen zwei kurze, scharfe Schattenstriche.

Ich schämte mich meiner Heftigkeit, darum sagte ich nun ruhig, in leise erklärendem Ton: »Erinnern Sie sich, was Sie mir auf der Picasso-Ausstellung sagten?«

Kafka sah mich verständnislos an.

Ich fuhr fort: »Sie sagten, daß die Kunst ein Spiegel sei, der – wie eine verstellte Uhr – vorausgeht. Vielleicht ist das, was Sie schreiben, in dem heutigen *Kintopp der Blinden* auch nur ein Spiegel des Morgen.«

»Bitte, lassen Sie das«, sagte Kafka gequält und bedeckte mit beiden Händen die Augen.

Ich entschuldigte mich: »Verzeihen Sie. Ich wollte Sie nicht aufregen. Ich bin dumm.«

»Nein, nein – das sind Sie nicht!« Er bewegte – ohne die Hände vom Gesicht abzunehmen – den ganzen Oberkörper hin und her. »Sie haben recht. Sie haben bestimmt recht. Deshalb kann ich wahrscheinlich nichts beenden. Ich schrecke vor der Wahrheit zurück. Aber kann man anders handeln?« – Er riß die Hände von seinen Augen los, stemmte die geballten Fäuste auf die Tischplatte, beugte sich vor und meinte mit leiser, gepreßter Stimme: »Man muß schweigen, wenn man nicht helfen kann. Niemand darf durch seine Hoffnungslosigkeit den Zustand der Patienten verschlimmern. Deshalb soll mein ganzes Gekritzel vernichtet werden. Ich bin kein Licht. Ich habe mich nur in den eigenen Dornen verrannt. Ich bin eine Sackgasse.«

Kafka lehnte sich zurück. Seine Hände glitten kraftlos von der Tischplatte. Er schloß die Augen. (J. 202 ff.)

[1921/22]

Max Brods Bericht über Kafkas letztwillige Verfügung
In Franz Kafkas Nachlaß hat sich kein Testament vorgefunden. In seinem Schreibtisch lag unter vielem andern Papier ein zusammengefalteter, mit Tinte geschriebener Zettel mit meiner Adresse. Der Zettel hat folgenden Wortlaut:
Liebster Max, meine letzte Bitte: Alles, was sich in meinem Nachlaß (also im Buchkasten, Wäscheschrank, Schreibtisch, zu Hause und im Büro, oder wohin sonst irgend etwas vertragen worden sein sollte und Dir auffällt) an Tagebüchern, Manuskripten, Briefen, fremden und eignen, Gezeichnetem und so weiter findet, restlos, und ungelesen zu verbrennen, ebenso alles Geschriebene oder Gezeichnete, das Du oder andre, die Du in meinem Namen darum bitten sollst, haben. Briefe, die man Dir nicht übergeben will, soll man wenigstens selbst zu verbrennen sich verpflichten.
Dein Franz Kafka.

Bei genauerm Suchen fand sich auch noch ein mit Bleistift geschriebenes, vergilbtes, offenbar älteres Blatt. Es sagt:
Lieber Max, vielleicht stehe ich diesmal doch nicht mehr auf, das Kommen der Lungenentzündung ist nach dem Monat Lungenfieber genug wahrscheinlich, und nicht einmal, daß ich es niederschreibe, wird sie abwehren, trotzdem es eine gewisse Macht hat.
Für diesen Fall also mein letzter Wille hinsichtlich alles von mir Geschriebenen:
Von allem, was ich geschrieben habe, gelten nur die Bücher: Urteil, Heizer, Verwandlung, Strafkolonie, Landarzt und die Erzählung: Hungerkünstler. (Die paar Exemplare der »Betrachtung« mögen bleiben, ich will niemandem die Mühe des Einstampfens machen, aber neu gedruckt darf nichts daraus werden.) Wenn ich sage, daß jene fünf Bücher und die Erzählung gelten, so meine ich damit nicht, daß ich den Wunsch habe, sie mögen neu gedruckt und künftigen Zeiten überliefert werden, im Gegenteil, sollten sie ganz verlorengehn, entspricht dieses meinem eigentlichen Wunsch.

Nur hindere ich, da sie schon einmal da sind, niemanden daran, sie zu erhalten, wenn er dazu Lust hat.

Dagegen ist alles, was sonst an Geschriebenem von mir vorliegt (in Zeitschriften Gedrucktes, im Manuskript oder in Briefen) ausnahmslos, soweit es erreichbar oder durch Bitten von den Adressaten zu erhalten ist (die meisten Adressaten kennst Du ja, in der Hauptsache handelt es sich um..., vergiß besonders nicht paar Hefte, die... hat) – alles dieses ist ausnahmslos, am liebsten ungelesen (doch wehre ich Dir nicht hineinzuschaun, am liebsten wäre es mir allerdings, wenn Du es nicht tust, jedenfalls aber darf niemand andrer hineinschauen) – alles dieses ist ausnahmslos zu verbrennen, und dies möglichst bald zu tun bitte ich Dich   Franz.

(P. 316 ff.)

27. Januar 1922

Merkwürdiger, geheimnisvoller, vielleicht gefährlicher, vielleicht erlösender Trost des Schreibens: das Hinausspringen aus der Totschlägerreihe, Tat-Beobachtung. Tatbeobachtung, indem eine höhere Art der Beobachtung geschaffen wird, eine höhere, keine schärfere, und je höher sie ist, je unerreichbarer von der »Reihe« aus, desto unabhängiger wird sie, desto mehr eigenen Gesetzen der Bewegung folgend, desto unberechenbarer, freudiger, steigender ihr Weg.   (T. 563 f.)

[Postkarte Spindlermühle, Ankunftsstempel: 8. Februar 1922]
Kafka an Max Brod

Liebster Max, schade, schade, daß Du nicht für *ein paar Tage* kommen kannst, wir würden, wenn das Glück es wollte, den ganzen Tag bergsteigen, rodeln, (Skilaufen auch? Bisher habe ich fünf Schritte gemacht) und schreiben und besonders durch das letztere das Ende, das wartende Ende, ein friedliches Ende herbeirufen, beschleunigen, oder willst Du das nicht? Mir geht es wie im Gymnasium, der Lehrer geht auf und ab, die ganze Klasse ist mit der Schularbeit fertig und schon nachhause gegangen, nur ich mühe mich noch damit ab, die Grundfehler meiner mathematischen Schularbeit weiter auszubauen und lasse den guten Lehrer warten. Natürlich rächt sich das wie alle an Lehrern begangene Sünden.

(Br. 370 f.)

Fragmente   [Frühjahr 1922]
Das Schreiben versagt sich mir. Daher Plan der selbstbiographi-
schen Untersuchungen. Nicht Biographie, sondern Untersuchung
und Auffindung möglichst kleiner Bestandteile. Daraus will ich
mich dann aufbauen, so wie einer, dessen Haus unsicher ist, da-
neben ein sicheres aufbauen will, womöglich aus dem Material des
alten. Schlimm ist es allerdings, wenn mitten im Bau seine Kraft
aufhört und er jetzt statt eines zwar unsichern aber doch vollständigen Hauses, ein halbzerstörtes und ein halbfertiges hat, also
nichts. Was folgt ist Irrsinn, also etwa ein Kosakentanz zwischen
den zwei Häusern, wobei der Kosak mit den Stiefelabsätzen die
Erde so lange scharrt und auswirft, bis sich unter ihm sein Grab
bildet.   (H. 388)

Kafka an Robert Klopstock   [Prag, Frühjahr 1922]
Ich habe, um mich vor dem, was man Nerven nennt, zu retten, seit
einiger Zeit ein wenig zu schreiben angefangen, sitze von sieben
Uhr abends etwa beim Tisch, es ist aber nichts, eine mit Nägeln
aufgekratzte Deckung im Weltkrieg und nächsten Monat hört auch
das auf und das Bureau fängt an.   (Br. 374)

Talent für »Flickarbeit« [12].   5. Juni 1922
                                                 (T. 582)

Kafka an Max Brod   [Planá, 5. Juli 1922]
Als ich heute in der schlaflosen Nacht alles immer wieder hin- und
hergehn ließ zwischen den schmerzenden Schläfen, wurde mir
wieder, was ich in der letzten genug ruhigen Zeit fast vergessen
hatte, bewußt, auf was für einem schwachen oder gar nicht vorhandenen Boden ich lebe, über einem Dunkel, aus dem die dunkle
Gewalt nach ihrem Willen hervorkommt und, ohne sich an mein
Stottern zu kehren, mein Leben zerstört. Das Schreiben erhält mich,
aber ist es nicht richtiger zu sagen, daß es diese Art Leben erhält?
Damit meine ich natürlich nicht, daß mein Leben besser ist, wenn

12 Eine Anspielung auf die Pointe einer der Anekdoten in Martin
Buber, »Die chassidischen Bücher«, Berlin, 1924, 482.

ich nicht schreibe. Vielmehr ist es dann viel schlimmer und gänzlich unerträglich und muß mit dem Irrsinn enden. Aber das freilich nur unter der Bedingung, daß ich, wie es tatsächlich der Fall ist, auch wenn ich nicht schreibe, Schriftsteller bin und ein nicht schreibender Schriftsteller ist allerdings ein den Irrsinn herausforderndes Unding. Aber wie ist es mit dem Schriftstellersein selbst? Das Schreiben ist ein süßer wunderbarer Lohn, aber wofür? In der Nacht war es mir mit der Deutlichkeit kindlichen Anschauungsunterrichtes klar, daß es der Lohn für Teufelsdienst ist. Dieses Hinabgehen zu den dunklen Mächten, diese Entfesselung von Natur aus gebundener Geister, fragwürdige Umarmungen und was alles noch unten vor sich gehen mag, von dem man oben nichts mehr weiß, wenn man im Sonnenlicht Geschichten schreibt. Vielleicht gibt es auch anderes Schreiben, ich kenne nur dieses; in der Nacht, wenn mich die Angst nicht schlafen läßt, kenne ich nur dieses. Und das Teuflische daran scheint mir sehr klar. Es ist die Eitelkeit und Genußsucht, die immerfort um die eigene oder auch um eine fremde Gestalt – die Bewegung vervielfältigt sich dann, es wird ein Sonnensystem der Eitelkeit – schwirrt und sie genießt. Was der naive Mensch sich manchmal wünscht: »Ich wollte sterben und sehn, wie man mich beweint«, das verwirklicht ein solcher Schriftsteller fortwährend, er stirbt (oder er lebt nicht) und beweint sich fortwährend. Daher kommt eine schreckliche Todesangst, die sich nicht als Todesangst äußern muß, sondern auch auftreten kann als Angst vor Veränderung, als Angst vor Georgental. Die Gründe für die Todesangst lassen sich in zwei Hauptgruppen teilen. Erstens hat er schreckliche Angst zu sterben, weil er noch nicht gelebt hat. Damit meine ich nicht, daß zum Leben Weib und Kind und Feld und Vieh nötig ist. Nötig zum Leben ist nur, auf Selbstgenuß zu verzichten; einziehn in das Haus, statt es zu bewundern und zu bekränzen. Dagegen könnte man sagen, daß das Schicksal ist und in niemandes Hand gegeben. Aber warum hat man dann Reue, warum hört die Reue nicht auf? Um sich schöner und schmackhafter zu machen? Auch das. Aber warum bleibt darüber hinaus das Schlußwort in solchen Nächten immer: Ich könnte leben und lebe nicht. Der zweite Hauptgrund – vielleicht ist es auch nur einer, jetzt wollen sich mir die zwei nicht recht sondern – ist die Überlegung: »Was ich gespielt habe, wird wirklich geschehn. Ich habe mich durch das Schreiben nicht losgekauft. Mein Leben lang bin ich gestorben und nun werde ich wirklich sterben. Mein Leben war süßer als das der andern, mein Tod wird um so schrecklicher sein. Der Schriftsteller in mir wird natürlich sofort sterben, denn eine solche Figur hat keinen Boden, hat keinen Bestand, ist nicht einmal aus Staub; ist nur im tollsten irdischen Leben ein wenig möglich, ist nur eine Konstruktion der Genußsucht. Dies ist der Schriftsteller. Ich selbst aber kann nicht weiterleben, da ich ja nicht gelebt habe, ich bin Lehm geblieben, den Funken habe ich nicht zum Feuer gemacht, sondern nur zur Illuminierung meines Leichnams benützt.« Es wird ein eigentümliches Begräbnis werden, der Schriftsteller, also etwas nicht Bestehendes, übergibt den alten Leichnam, den Leichnam seit jeher, dem Grab. Ich bin genug Schriftsteller, um das in völliger Selbstvergessenheit – nicht Wachheit, Selbstvergessenheit ist erste Voraussetzung des Schriftstellertums – mit allen Sinnen genießen oder, was dasselbe ist, erzählen zu wollen, aber das wird nicht mehr geschehn. Aber warum rede ich nur vom wirklichen Sterben. Im Leben ist es ja das Gleiche. Ich sitze hier in der bequemen Haltung des Schriftstellers, bereit zu allem Schönen, und muß untätig zusehn – denn was kann ich anderes als schreiben –, wie mein wirkliches Ich, dieses arme, wehrlose (das Dasein des Schriftstellers ist ein Argument gegen die Seele, denn die Seele hat doch offenbar das wirkliche Ich verlassen, ist aber nur Schriftsteller geworden, hat es nicht weiter gebracht; sollte die Trennung vom Ich die Seele so sehr schwächen können?) aus einem beliebigen Anlaß, einer kleinen Reise nach Georgental [...] vom Teufel gezwickt, geprügelt und fast zermahlen wird. Mit welchem Recht erschrecke ich, der ich nicht zuhause war, daß das Haus plötzlich zusammenbricht; weiß ich denn, was dem Zusammenbruch vorhergegangen ist, bin ich nicht ausgewandert und habe das Haus allen bösen Mächten überlassen?

Ich habe gestern Oskar [Baum] geschrieben, zwar meine Angst erwähnt, aber meine Ankunft zugesagt, der Brief ist noch nicht weggeschickt, inzwischen war die Nacht. Vielleicht warte ich noch eine Nacht ab; überstehe ich es nicht, müßte ich doch abschreiben. Damit ist dann entschieden, daß ich aus Böhmen nicht mehr hinausfahren darf, nächstens werde ich dann auf Prag eingeschränkt, dann auf mein Zimmer, dann auf mein Bett, dann auf eine bestimmte Körperlage, dann auf nichts mehr. Vielleicht werde ich dann auf das Glück des Schreibens freiwillig – auf die Freiwilligkeit und Freudigkeit kommt es an, – verzichten können.

Um diese ganze Geschichte schriftstellerisch zu pointieren – nicht ich pointiere, die Sache tut es – muß ich hinzufügen, daß in meiner Angst vor der Reise sogar die Überlegung eine Rolle spielt, ich würde zumindest durch einige Tage vom Schreibtisch abgehalten sein. Und diese lächerliche Überlegung ist in Wirklichkeit die einzige berechtigte, denn das Dasein des Schriftstellers ist wirklich vom Schreibtisch abhängig, er darf sich eigentlich, wenn er dem Irrsinn entgehen will, niemals vom Schreibtisch entfernen, mit den Zähnen muß er sich festhalten.

Die Definition des Schriftstellers, eines solchen Schriftstellers, und die Erklärung seiner Wirkung, wenn es eine Wirkung überhaupt gibt: Er ist der Sündenbock der Menschheit, er erlaubt den Menschen, eine Sünde schuldlos zu genießen, fast schuldlos.

(Br. 384 ff.)

Kafka an Max Brod [Planá, 12. Juli 1922]
Und das Schreiben? (Das übrigens hier unter-mittel-mäßig weitergeht, sonst nichts, und immerfort von Lärm gefährdet.) Möglich, daß meine Erklärung für Dich gar nicht stimmt und nur daher kommt, daß ich Dein Schreiben möglichst nahe an dem meinen haben will. Und dieser Unterschied besteht gewiß, daß ich, wenn ich einmal, außer durch Schreiben und was mit ihm zusammenhing, glücklich gewesen sein sollte (ich weiß nicht genau, ob ich es war), ich dann gerade des Schreibens gar nicht fähig war, wodurch dann alles, es war noch kaum in der Fahrt, sofort umkippte, denn die Sehnsucht zu schreiben hat überall das Übergewicht. Woraus aber nicht auf grundlegende eingeborene ehrenhafte Schriftstellereigenschaft zu schließen ist. Ich bin von zuhause fort und muß immerfort nachhause schreiben, auch wenn alles Zuhause längst fortgeschwommen sein sollte in die Ewigkeit. Dieses ganze Schreiben ist nichts als die Fahne des Robinson auf dem höchsten Punkt der Insel. (Br. 392)

Kafka an Max Brod   [Planá, 20. Juli 1922]
Aber gute Nahrung hat gestern meine Ansicht bekommen, als ich
auf der Fahrt ein Reclambändchen »Storm: Erinnerungen« las. Ein
Besuch bei Mörike. Diese beiden guten Deutschen sitzen im Frieden dort beisammen in Stuttgart, unterhalten sich über deutsche
Literatur, Mörike liest »Mozart auf der Reise nach Prag« vor
(Hartlaub, Mörikes Freund, der die Novelle schon sehr gut kennt,
»folgte der Vorlesung mit einer verehrenden Begeisterung, die er
augenscheinlich kaum zurückzuhalten vermochte. Als eine Pause
eintrat, rief er mir zu: ›Aber, i bitt Sie, ist das nun zum Aushalte‹. –
Es ist 1855, es sind schon alternde Männer, Hartlaub ist Pfarrer),
und dann sprechen sie auch über Heine. Über Heine ist schon in
diesen Erinnerungen gesagt, daß für Storm die Pforten der deutschen Literatur durch Goethes Faust und Heines Buch der Lieder,
diese beiden Zauberbücher, aufgesprungen sind. Und auch für
Mörike hat Heine große Bedeutung, denn unter den wenigen, ihm
sehr teueren Autogrammen, die Mörike besitzt und Storm zeigt,
ist auch »ein sehr durchkorrigiertes Gedicht von Heine.« Trotzdem sagt Mörike über Heine – und es ist, obwohl es hier wohl nur
Wiedergabe einer landläufigen Ansicht ist, zumindest von einer
Seite her eine blendende und noch immer geheimnisvolle Zusammenfassung dessen, was ich vom Schriftsteller denke und auch was
ich denke, ist in einem andern Sinn landläufige Ansicht: »Er ist ein
Dichter ganz und gar« sagte Mörike »aber nit eine Viertelstund'
könnt' ich mit ihm leben, wegen der Lüge seines ganzen Wesens.«
Den Talmudkommentar dazu her!   (Br. 397)

Kafka an Max Brod   [Planá, Ende Juli 1922]
Ein heiratsunfähiger, keine Träger des Namens beibringender Sohn;
pensioniert mit 39 Jahren; nur mit dem exzentrischen, auf nichts
anderes als das eigene Seelenheil oder Unheil abzielenden Schreiben beschäftigt [...]   (Br. 401)

Kafka an Robert Klopstock   [Prag, Ende März 1923]
Die angebliche »Unebenbürtigkeit« besteht darin, daß wir ver-
zweifelte Ratten, die den Schritt des Herrn hören, nach verschiedenen Richtungen auseinander laufen, z. B. zu den Frauen, Sie zu

irgendjemandem, ich in die Literatur, alles allerdings vergeblich, dafür sorgen wir schon selbst durch die Auswahl der Asyle, durch die Auswahl der besondern Frauen u. s w. Das ist die Unebenbürtigkeit.

[. . .]

Ich habe inzwischen, nachdem ich durch Wahnsinnszeiten gepeitscht worden bin, zu schreiben angefangen und dieses Schreiben ist mir in einer für jeden Menschen um mich grausamsten (unerhört grausamen, davon rede ich gar nicht) Weise das Wichtigste auf Erden, wie etwa einem Irrsinnigen sein Wahn (wenn er ihn verlieren würde, würde er »irrsinnig« werden) oder wie einer Frau ihre Schwangerschaft. Das hat mit dem Wert des Schreibens, wie ich auch hier wiederhole, gar nichts zu tun, den Wert erkenne ich ja übergenau, aber ebenso auch den Wert, den es für mich hat ... Und darum halte ich das Schreiben in zitternder Angst vor jeder Störung umfangen und nicht nur das Schreiben, sondern auch das dazu gehörige Alleinsein. Und wenn ich etwa gestern sagte, daß Sie nicht Sonntag abend, sondern erst Montag kommen sollen und Sie zweimal fragten: »abend also nicht?« und ich also wenigstens auf die zweite Frage antworten mußte und sagte: »Ruhen Sie sich einmal aus«, so war das eine restlose Lüge, denn ich meinte mein Alleinsein.

(Br. 431)

12. Juni 1923

Immer ängstlicher im Niederschreiben. Es ist begreiflich. Jedes Wort, gewendet in der Hand der Geister – dieser Schwung der Hand ist ihre charakteristische Bewegung –, wird zum Spieß, gekehrt gegen den Sprecher. Eine Bemerkung wie diese ganz besonders. Und so ins Unendliche. Der Trost wäre nur: es geschieht, ob du willst oder nicht. Und was du willst, hilft nur unmerklich wenig. Mehr als Trost ist: Auch du hast Waffen.

(T. 585)

Gespräch Kafkas mit Max Brod   [undatierbar]

Er sprach oft von den »falschen Händen, die sich einem während des Schreibens entgegenstrecken« – auch davon, daß ihn das Geschriebene und gar das Veröffentlichte in der weitern Arbeit beirre.

(P. 316)

Über das Schreiben von Briefen

9. Dezember 1911

Wenn wir nämlich mit unseren Briefen dem eigenen Gefühle nicht genügen können – natürlich gibt es hier eine beiderseits verschwimmende Menge von Abstufungen – wenn uns selbst in unserem besten Zustand immer wieder Ausdrücke behilflich sein müssen, wie »unbeschreiblich«, »unsagbar« oder ein »so traurig« oder »so schön«, dem dann ein rasch abbröckelnder »daß«-Satz folgt, so ist uns, wie zum Lohn dafür, die Fähigkeit gegeben, fremde Berichte mit der ruhigen Genauigkeit aufzufassen, die uns dem eigenen Briefschreiben gegenüber, zumindest in diesem Maße, fehlt.

(T. 187)

Kafka an Felice   [Prag,] 23. X. 12

Was ich Ihnen heute schreibe, ist keine Antwort auf Ihren Brief, vielleicht wird die Antwort erst jener Brief sein, den ich morgen schreibe, vielleicht erst der von übermorgen. Meine Schreibweise ist natürlich nicht selbständig närrisch, sondern genau so närrisch wie meine gegenwärtige Lebensweise, die ich Ihnen auch einmal beschreiben kann.   (F. 50 f.)

Kafka an Felice   [Prag,] 24. X. 12

Sicher werde ich durch solche Vorbereitung nicht in einen bessern Stand versetzt sein, die Schwierigkeiten zu überwinden, die mir das Schreiben an Sie macht und die mir auch heute in der Nacht in immer neuen Formen durch den Kopf gegangen sind. Sie bestehen nicht darin, daß ich das, was ich schreiben will, nicht sagen könnte, es sind ja die einfachsten Dinge, aber es sind so viele, daß ich sie

163

nicht unterbringen kann in Zeit und Raum. Manchmal möchte ich in Erkenntnis dessen, allerdings nur in der Nacht, alles bleiben lassen, nichts mehr schreiben und lieber am Nichtgeschriebenen als am Geschriebenen zugrundegehn. (F. 52)

Kafka an Felice [Prag,] vom 17. zum 18. II. 13

Und mit welcher Hand, in welchem Traum hast Du das nieder-geschrieben, daß ich Dich ganz erworben habe? Liebste, das glaubst Du, in einem Augenblick, in der Ferne. Aber zum Erwerben in der Nähe, für die Dauer, dazu gehören andere Kräfte, als das Muskel-spiel, das meine Feder vorwärtstreibt. Glaubst Du es nicht selbst, wenn Du es überlegst? Scheint mir doch manchmal, daß dieser Verkehr in Briefen, über den hinaus ich mich fast immerfort zur Wirklichkeit sehne, der einzige meinem Elend entsprechende Ver-kehr ist (meinem Elend, das ich natürlich nicht immer als Elend fühle), und daß die Überschreitung dieser mir gesetzten Grenze in ein uns gemeinsames Unglück führt. (F. 304)

Kafka an Felice [Marienbad,] 21. Juli 16

Liebste – übertreibe ich das Schreiben wieder wie in frühern Zeiten? Zur Entschuldigung: ich sitze auf Deinem Balkon[1], auf Deiner Tischseite, es ist, als wären die 2 Tischseiten Wagschalen; das an unsern guten Abenden bestehende Gleichgewicht wäre gestört; und ich, allein auf der einen Wagschale, versänke: Versänke, weil Du fern bist. Darum schreibe ich. Auch deshalb, weil es in meinem Kopf trotz der Besserung der letzten 2 Tage immer noch saust und ich nach dem Frieden bei Dir wenigstens mit der schreibenden Hand hintaste. (F. 668 f.)

Kafka an Oskar Baum [Matliary, Frühjahr 1921]

Lieber Oskar, Du hast mich also nicht vergessen. Fast möchte ich *Dir* Vorwürfe machen, daß *ich* Dir nicht geschrieben habe. Aber Schreiben ist hier in dieser großen Untätigkeit für mich fast eine Tat, fast ein neues Geborenwerden, ein neues Herumarbeiten in der Welt, dem doch unwiderruflich wieder der Liegestuhl folgen muß

1 Geschrieben unmittelbar nach der Abreise Felices aus Marien-bad, wo sie mit Kafka Ferien verbrachte.

und – man schreckt zurück. Womit ich aber nicht den Eindruck erwecken will, daß ich mir darin Recht gebe, nein, gar nicht.

(Br. 320)

Kafka an Ottla Davidová   [Matliary, Anfang Mai 1921]
Elli und Valli lasse ich natürlich wieder ganz besonders grüßen. Wie meinst Du es? Ich lasse sie grüßen, weil grüßen leicht ist und schreibe ihnen nicht, weil schreiben schwer ist? Gar nicht. Ich lasse sie grüßen, weil sie meine lieben Schwestern sind, und schreibe ihnen nicht besonders, weil ich Dir schreibe. Am Ende wirst Du sagen, daß ich auch Deine Tochter nur grüßen lasse, weil Schreiben schwer ist. Und doch ist schreiben nicht schwerer als alles andere, eher ein wenig leichter.   (Br. 326 f.)

[Berlin-Steglitz, Ankunftsstempel: 25. Oktober 1923]
Kafka an Max Brod
Lieber Max, es ist wahr, ich schreibe nichts, aber nicht deshalb, weil ich etwas zu verbergen hätte (soweit das nicht mein Lebensberuf ist) und noch viel weniger deshalb, weil ich nicht nach einer vertrauten Stunde mir Dir verlangen würde, einer Stunde, wie wir sie, so scheint es mir manchmal, seit den oberitalienischen Seen nicht mehr gehabt haben. (Es hat einen gewissen Sinn, das zu sagen, weil wir damals jene, der Sehnsucht vielleicht gar nicht werte, aber wirklich unschuldige Unschuld hatten und die bösen Mächte, in gutem oder schlimmem Auftrag, erst die Eingänge leicht betasteten, durch die sie einmal einzubrechen sich schon unerträglich freuten.) Wenn ich also nicht schreibe, so hat das vor allem, wie es bei mir in den letzten Jahren immer zum Gesetz wird, »strategische« Gründe, ich vertraue Worten und Briefen nicht, meinen Worten und Briefen nicht, ich will mein Herz mit Menschen, aber nicht mit Gespenstern teilen, welche mit den Worten spielen und die Briefe mit hängender Zunge lesen. Besonders Briefen vertraue ich nicht und es ist ein sonderbarer Glaube, daß es genügt, den Briefumschlag zuzukleben, um den Brief gesichert vor den Adressaten zu bringen. Hier hat übrigens die Briefzensur der Kriegszeit, die Zeit besonderer Kühnheit und ironischer Offenheit der Gespenster, lehrreich gewirkt.

Aber ich schreibe auch deshalb wenig (noch etwas vergaß ich zum Vorigen zu sagen: manchmal scheint mir überhaupt das Wesen der Kunst, das Dasein der Kunst allein aus solchen »strategischen Rücksichten« erklärbar, die Ermöglichung eines wahren Wortes von Mensch zu Mensch), weil ich ja, wie es natürlich ist, mein Prager Leben, meine Prager »Arbeit«, von der auch nur sehr wenig zu sagen war, fortsetze. (Br. 452 f.)

Kafka an Robert Klopstock [Berlin-Steglitz, 19. Dezember 1923] Was mich betrifft, so dürfen Sie doch, Robert, nicht glauben, daß mein Leben ein solches ist, wo man im beliebigen Augenblick die Freiheit und Kraft hat, zu berichten oder auch nur zu schreiben, da es doch Abgründe gibt, in die man versinkt ohne es zu merken, um dann wieder erst lange Zeit emporzukriechen, besten Falls. Situationen zum Schreiben sind das nicht. (Br. 469 f.)

Über das Führen von Tagebüchern
und über die nur in den Tagebüchern
enthaltenen Fragmente

16. Dezember 1910

Ich werde das Tagebuch nicht mehr verlassen. Hier muß ich mich festhalten, denn nur hier kann ich es. Gerne möchte ich das Glücksgefühl erklären, das ich von Zeit zu Zeit wie eben jetzt in mir habe. Es ist wirklich etwas Moussierendes, das mich mit leichtem angenehmem Zucken ganz und gar erfüllt und das mir Fähigkeiten einredet, von deren Nichtvorhandensein ich mich jeden Augenblick, auch jetzt, mit aller Sicherheit überzeugen kann. (T. 28)

12. Januar 1911

Ich habe vieles in diesen Tagen über mich nicht aufgeschrieben, teils aus Faulheit (ich schlafe jetzt so viel und fest bei Tag, ich habe während des Schlafes ein größeres Gewicht), teils aber auch aus Angst, meine Selbsterkenntnis zu verraten. Diese Angst ist berechtigt, denn endgültig durch Aufschreiben fixiert dürfte eine Selbsterkenntnis nur dann werden, wenn dies in größter Vollständigkeit bis in alle nebensächlichen Konsequenzen hinein sowie mit gänzlicher Wahrhaftigkeit geschehen könnte. Denn geschieht dies nicht – und ich bin dessen jedenfalls nicht fähig –, dann ersetzt das Aufgeschriebene nach eigener Absicht und mit der Übermacht des Fixierten das bloß allgemein Gefühlte nur in der Weise, daß das richtige Gefühl schwindet, während die Wertlosigkeit des Notierten zu spät erkannt wird. (T. 37 f.)

September 1911

Ein Mensch, der kein Tagebuch hat, ist einem Tagebuch gegenüber in einer falschen Position. Wenn dieser zum Beispiel in Goethes

Tagebuch liest, daß dieser am 11. Januar 1797 den ganzen Tag zu Hause »mit verschiedenen Anordnungen beschäftigt« war, so scheint es diesem Menschen, daß er selbst noch niemals so wenig gemacht hat. (T. 636)

23. Dezember 1911

Ein Vorteil des Tagebuchführens besteht darin, daß man sich mit beruhigender Klarheit der Wandlungen bewußt wird, denen man unaufhörlich unterliegt, die man auch im allgemeinen natürlich glaubt, ahnt und zugesteht, die man aber unbewußt immer dann leugnet, wenn es darauf ankommt, sich aus einem solchen Zugeständnis Hoffnung oder Ruhe zu holen. Im Tagebuch findet man Beweise dafür, daß man selbst in Zuständen, die heute unerträglich scheinen, gelebt, herumgeschaut und Beobachtungen aufgeschrieben hat, daß also diese Rechte sich bewegt hat wie heute, wo wir zwar durch die Möglichkeit des Überblickes über den damaligen Zustand klüger sind, darum aber desto mehr die Unerschrockenheit unseres damaligen, in lauter Unwissenheit sich dennoch erhaltenden Strebens anerkennen müssen. (T. 202)

30. Dezember 1911

Am Morgen fühlte ich mich zum Schreiben so frisch, jetzt aber hindert mich die Vorstellung, daß ich Max am Nachmittag vorlesen soll, vollständig.
[. . .]
Außerdem stört mich, daß ich das Tagebuch heute früh daraufhin durchgeblättert habe, was ich M. vorlesen könnte. Nun habe ich bei dieser Überprüfung weder gefunden, daß das bisher Geschriebene besonders wertvoll sei, noch daß es geradezu weggeworfen werden müsse. Mein Urteil liegt zwischen beiden und näher der ersten Meinung, doch ist es nicht derartig, daß ich mich nach dem Wert des Geschriebenen trotz meiner Schwäche für erschöpft ansehn müßte. Trotzdem hat mich der Anblick der Menge des von mir Geschriebenen von der Quelle des eigenen Schreibens deshalb für die nächsten Stunden fast unwiederbringlich abgelenkt, weil sich die Aufmerksamkeit im gleichen Flußlauf gewissermaßen flußabwärts verloren hat. (T. 221 f.)

25. Februar 1912

Das Tagebuch von heute an festhalten! Regelmäßig schreiben! Sich nicht aufgeben! Wenn auch keine Erlösung kommt, so will ich doch jeden Augenblick ihrer würdig sein. (T. 249)

Kafka an Max Brod [Jungborn,] 9. VII. [1912]

Mein lieber Max: hier ist mein Tagebuch. Wie Du sehen wirst, habe ich, weil es eben nicht nur für mich bestimmt war, ein wenig geschwindelt, ich kann mir nicht helfen, jedenfalls ist bei einem solchen Schwindel nicht die geringste Absicht, vielmehr kommt es aus meiner innersten Natur und ich sollte eigentlich mit Respekt da hinunterschaun. (Br. 95)

16. August 1912

Nichts, weder im Bureau, noch zu Hause. Ein paar Seiten im Weimarer Tagebuch [1] geschrieben. (T. 284)

20. August 1912

Wenn mich heute bei Max die literarischen Nachrichten nicht zu sehr zerstreuen, werde ich noch die Geschichte von dem Blenkelt [2] zu schreiben versuchen. Sie muß nicht lang sein, aber treffen muß sich mich. (T. 285)

Kafka an Felice [Prag,] Samstag [1. März 1913] 2 Uhr [nachts]

Gestern habe ich eine kleine Geschichte [3] angefangen, sie ist noch so klein, steckt kaum den Kopf hervor, es läßt sich nichts sagen, um so sündhafter ist es, daß ich sie heute gegen alle guten Vorsätze liegen ließ und zu Max ging. Ist sie etwas wert, wird sie aber doch vielleicht bis morgen warten können. (F. 320)

Kafka an Felice [Prag,] vom 2. zum 3. III. 13

Es ist 1 Uhr vorüber, ich bin, Liebste, inzwischen von meiner Geschichte [Liman-Fragment] fast gänzlich abgeworfen worden –

1 »Reise Weimar – Jungborn« T. 651 ff.
2 Fragment der Blenkelt-Geschichte, T. 294 f.
3 Ernst-Liman-Fragment, T. 298 ff.

heute war die Entscheidung und sie ist gegen mich ausgefallen –
und krieche nun förmlich, wenn Du mich willst, zu Dir zurück.

(F. 322)

Kafka an Felice   [Prag,] vom 13. zum 14. III. 13
Wie wäre es, Liebste, wenn ich Dir statt Briefe – Tagebuchblätter
schicken würde? Ich entbehre es, daß ich kein Tagebuch führe, so
wenig und so nichtiges auch geschieht und so nichtig ich alles auch
hinnehme. Aber ein Tagebuch, das Du nicht kennen würdest, wäre
keines für mich. Und die Veränderungen und Auslassungen, die ein
für Dich bestimmtes Tagebuch haben müßte, wären für mich gewiß nur heilsam und erzieherisch. Bist Du einverstanden? Der
Unterschied gegenüber den Briefen wird der sein, daß die Tagebuchblätter vielleicht manchmal inhaltsreicher, gewiß aber immer
noch langweiliger und noch roher sein werden, als es die Briefe
sind. Aber fürchte Dich nicht allzusehr, die Liebe zu Dir wird ihnen
nicht fehlen.   (F. 336)

Kafka an Felice   [Prag,] vom 17. zum 18. III. 13
Zu dem Tagebuchschreiben habe ich doch keinen rechten Mut,
Felice [...] Es würden schließlich doch unleidliche Dinge darin
stehn, ganz unmögliche Dinge, und wärest Du denn, Liebste, imstande, die Blätter dann nur als Tagebuch und nicht als Brief zu
lesen? Die Zusicherung müßte ich vorher haben.   (F. 341 f.)

                                                    2. Mai 1913
Es ist sehr notwendig geworden, wieder ein Tagebuch zu führen.
Mein unsicherer Kopf, F., der Verfall im Bureau, die körperliche
Unmöglichkeit zu schreiben und das innere Bedürfnis danach.

(T. 303)

Kafka an Felice   [Prag,] am 10. Sept. 1913
Die Frage des Tagebuches ist gleichzeitig die Frage des Ganzen,
enthält alle Unmöglichkeiten des Ganzen. In der Eisenbahn überlegte ich es unter dem Gespräch mit P[ick]. Es ist unmöglich, alles
zu sagen und es ist unmöglich, nicht alles zu sagen.   (F. 464)

19. November 1913
Mich ergreift das Lesen des Tagebuchs. Ist der Grund dessen, daß ich in der Gegenwart jetzt nicht die geringste Sicherheit mehr habe? *Alles erscheint mir als Konstruktion.* (T. 329)

27. Mai 1914
Es hat Sinn, ist aber matt, das Blut fließt dünn, zu weit vom Herzen. Ich habe noch hübsche Szenen im Kopfe und höre doch auf. Gestern erschien mir das weiße Pferd[4] zum erstenmal vor dem Einschlafen, ich habe den Eindruck, als wäre es zuerst aus meinem der Wand zugedrehten Kopf getreten, wäre über mich hinweg und vom Bett hinuntergesprungen und hätte sich dann verloren. Das letztere wird durch den obigen Anfang leider nicht widerlegt. (T. 377)

15. Oktober 1914
Das Tagebuch ein wenig durchgeblättert. Eine Art Ahnung der Organisation eines solchen Lebens bekommen. (T. 440)

25. Dezember 1915
Eröffnung des Tagebuches zu dem besonderen Zweck, mir Schlaf zu ermöglichen. Sehe aber gerade die zufällige letzte Eintragung und könnte tausend Eintragungen gleichen Inhalts aus den letzten drei bis vier Jahren mir vorstellen. Ich verbrauche mich sinnlos, wäre glückselig, schreiben zu dürfen, schreibe nicht. Werde die Kopfschmerzen nicht mehr los. Ich habe wirklich mit mir gewüstet. (T. 489)

27. Juni 1919
Neues Tagebuch, eigentlich nur, weil ich im alten gelesen habe. Einige Gründe und Absichten, jetzt, dreiviertel zwölf, nicht mehr festzustellen. (T. 539)

15. Oktober 1921
Alle Tagebücher, vor einer Woche etwa, M[ilena] gegeben. Ein

4 Bezieht sich auf das Fragment einer Pferdegeschichte, T. 375 ff.

wenig freier? Nein. Ob ich noch fähig bin, eine Art Tagebuch zu führen? Es wird jedenfalls anders sein, vielmehr es wird sich verkriechen, es wird gar nicht sein, über Hardt 5 z. B., der mich doch verhältnismäßig sehr beschäftigt hat, wäre ich nur mit größter Mühe etwas zu notieren fähig. Es ist so, als hätte ich schon alles längst über ihn geschrieben oder, was das gleiche ist, als wäre ich nicht mehr am Leben. Über M[ilena] könnte ich wohl schreiben, aber auch nicht aus freiem Entschluß, auch wäre es zu sehr gegen mich gerichtet, ich brauche mir solche Dinge nicht mehr umständlich bewußt zu machen, wie früher einmal, ich bin in dieser Hinsicht nicht so vergeßlich wie früher, ich bin ein lebendig gewordenes Gedächtnis, daher auch die Schlaflosigkeit.   (T. 542)

5 Ernst Hardt, Erzähler, Lyriker, Dramatiker und Übersetzer.

Anhang

Nachwort

Dieser Band enthält alle den Herausgebern zugänglichen Äußerungen Franz Kafkas über seine Werke und darüber hinaus alle seine wichtigeren Gedanken und Beobachtungen über sein Schreiben im allgemeinen, das Schreiben von Briefen und das Führen von Tagebüchern.

Die erste Abteilung »Über einzelne Werke« folgt der Chronologie der einzelnen Titel und innerhalb dieser der Chronologie der Äußerungen. Dieser Anordnung wurden prinzipiell die Entstehungsdaten der einzelnen Romane und Geschichten zugrundegelegt. Nur für die von Kafka selbst edierten Sammelbände *Betrachtung, Ein Landarzt* und *Ein Hungerkünstler* gilt das Erscheinungsdatum. In diesen Fällen sind die Entstehungsdaten der einzelnen Geschichten dem jeweils vorangestellten Inhaltsverzeichnis zu entnehmen. Zudem sollte der Werkindex alle Schwierigkeiten beheben, die dem Leser aus dieser Anordnung erwachsen könnten.

In den Abschnitten »Über das Schreiben«, »Über das Schreiben von Briefen« und »Über das Führen von Tagebüchern und über die nur in den Tagebüchern enthaltenen Fragmente« sind die aufgenommenen Äußerungen chronologisch geordnet. In der Datierung der einzelnen Werke folgen wir Malcolm Pasley und Klaus Wagenbach in »Kafka-Symposion«, Berlin 1965, 55 ff.

Verlag und Herausgeber werden für alle Hinweise dankbar sein, die diese Sammlung zu berichtigen oder zu ergänzen vermögen.

Northwestern University   E. H.
Evanston, Illinois   J. B.
November 1968

1883 Franz Kafka am 3. Juli als Sohn des Kaufmanns Herr-
      mann und seiner Frau Julie (geb. Löwy) in Prag ge-
      boren.
1889–1893 Volksschule am Fleischmarkt.
1893–1901 Altstädter Deutsches Staatsgymnasium. Freundschaft
      mit Oskar Pollak.
1901–1906 Studium an der Deutschen Universität in Prag. Germa-
      nistik, dann Jura.
1902 Ferien in Liboch und Triesch (bei Onkel Siegfried, dem
      Landarzt). Erste Begegnung mit Max Brod.
1904–1905 *Beschreibung eines Kampfes.* Die ersten regelmäßigen
      Zusammenkünfte mit Oskar Baum, Max Brod und
      Felix Weltsch. Die Sommerferien 1905 und 1906 in
      Zuckmantel.
1906 Promotion zum Dr. iur. Advokatur, ab Oktober ein
      Jahr »Rechtspraxis«.
1907 *Hochzeitsvorbereitungen auf dem Lande.* Im Oktober
      Eintritt in die »Assicurazioni Generali«.
1908 Eintritt in die »Arbeiter-Unfall-Versicherungs-Anstalt«
      (bis zur Pensionierung im Juli 1922). Erste Publikation
      von acht Prosastücken in der Zeitschrift »Hyperion«.
1909 Mit Max und Otto Brod in Riva und Brescia.
1910 Beginn des Tagebuchs. Jiddische Schauspieltruppe.
1911 Amtliche Reise nach Friedland und Reichenberg. Im
      Sommer Zürich, Lugano, Mailand, Paris mit Max
      Brod, Erlenbacher Sanatorium. Jiddische Schauspiel-
      truppe, Freundschaft mit Jizchak Löwy.

178

1912 Anfang des Jahres erste Entwürfe zum *Verschollenen (Amerika)*. Juli in Weimar (mit Max Brod), dann allein in Jungborn. August: Zusammenstellung des ersten Buches *Betrachtung,* das im Dezember erscheint. Erste Begegnung mit Felice Bauer 13. August. September: *Das Urteil.* September bis Januar 1913: Die ersten sieben Kapitel des *Verschollenen.* Oktober: Beginn der Korrespondenz mit Felice Bauer. November/Dezember: *Die Verwandlung.* Dezember: Erste öffentliche Lesung (in Prag, *Das Urteil*).

1913 Ostern: Erster Besuch bei Felice Bauer in Berlin. Erscheinen des *Heizer.* September: Wien, Venedig, Riva.

1914 Ostern in Berlin. Juni: Verlobung mit Felice Bauer. Juli: Entlobung, Reise an die Ostsee. August: Beginn der Niederschrift des *Prozeß.* Oktober: *In der Strafkolonie.* Letztes Kapitel des *Verschollenen.* Bekanntschaft mit Grete Bloch.

1915 Januar: Erstes Wiedersehen mit Felice Bauer. März: Reise nach Ungarn. Carl Sternheim gibt den Fontane-Preis an Kafka weiter. November: Erscheinen der *Verwandlung.*

1916 Juli: Mit Felice Bauer in Marienbad. September: Erscheinen des *Urteil.* November: Zweite öffentliche Lesung (in München, *In der Strafkolonie*). Arbeit an den *Landarzt*-Erzählungen.

1917 Juli: Zweite Verlobung mit Felice Bauer. September: Diagnose der Lungentuberkulose; Übersiedlung nach Zürau zur Schwester Ottla. Dezember: Entlobung. – Herbst 1917 bis Frühjahr 1918: Aphorismen.

1918 Zürau. Im Sommer Prag. Rumburg. Im September in Turnau. Ab November in Schelesen. Begegnung mit Julie Wohryzek.

1919 Schelesen. Ab Frühjahr wieder in Prag. Mai: Erscheinen von *In der Strafkolonie.* Verlobung mit Julie Wohryzek. Im Herbst erscheint die Sammlung von Erzählungen *Ein Landarzt.* Im November in Schelesen, *Brief an den Vater.*

1920 Bekanntschaft mit Gustav Janouch. Ab April in Meran; Briefwechsel mit Milena Jesenská. Wien Auflösung des Verlöbnisses mit Julie Wohryzek. Im Sommer und Herbst in Prag; zahlreiche Erzählungen (darunter *Poseidon, Nachts, Zur Frage der Gesetze, Der Kreisel*). Ab Dezember in Matliary (Tatra). Begegnung mit Robert Klopstock.

1921 Matliary. Im Herbst wieder in Prag. *Erstes Leid.*

1922 Februar in Spindlermühle, dann Prag, von Ende Juni bis Mitte September in Planá bei der Schwester Ottla. Januar bis September: *Das Schloss.* Frühjahr: *Ein Hungerkünstler.* Sommer: *Forschungen eines Hundes.*

1923 Prag. Im Juli in Müritz (Ostsee); Begegnung mit Dora Diamant. – Schelesen (Ottla). Ab September in Berlin. Oktober: *Eine kleine Frau.* Im Winter: *Der Bau.*

1924 Berlin. Im März in Prag. *Josefine, die Sängerin.* Anfang April Abreise von Prag. Mit Dora Diamant und Robert Klopstock im Sanatorium in Kierling, wo Kafka am 3. Juni stirbt. Am 11. Juni Begräbnis in Prag. Im Sommer erscheint die Sammlung von vier Erzählungen *Ein Hungerkünstler.*

A. = Amerika. Franz Kafka, Gesammelte Werke. Hrsg. von Max Brod. Frankfurt/M. 1966

B. ü. K. = Max Brod, Über Franz Kafka. Frankfurt/M. 1966

Br. = Briefe 1902–1924. Franz Kafka, Gesammelte Werke. Hrsg. von Max Brod. Frankfurt/M. 1966

F. = Briefe an Felice. Hrsg. von Erich Heller und Jürgen Born. Franz Kafka, Gesammelte Werke. Hrsg. von Max Brod. Frankfurt/M. 1967

H. = Hochzeitsvorbereitungen auf dem Lande. Franz Kafka, Gesammelte Werke. Hrsg. von Max Brod. Frankfurt/M. 1966

J. = Gustav Janouch, Gespräche mit Kafka. Frankfurt/M. 1968

M. = Briefe an Milena. Franz Kafka, Gesammelte Werke. Hrsg. von Max Brod. Frankfurt/M. 1965

M. K. = Marbacher Kataloge Katalog Nr. 7. Marbach a. N. 1960

P. = Der Prozeß. Franz Kafka, Gesammelte Werke. Hrsg. von Max Brod. Frankfurt/M. 1965

S. = Das Schloß. Franz Kafka, Gesammelte Werke. Hrsg. von Max Brod. Frankfurt/M. 1967

T. = Tagebücher 1910–1923. Franz Kafka, Gesammelte Werke. Hrsg. von Max Brod. Frankfurt/M. 1964

W. = Kurt Wolff, Briefwechsel eines Verlegers 1911–1963. Frankfurt/M. 1966

André, Buchhandlung 70
Bauer, Carl 25, 139
Bauer, Felice 12, 13, 17 f, 20 f,
 21 f, 22, 23 f, 24 f, 25, 29,
 32 f, 33 f, 34 f, 35, 36 f, 37 f,
 38 f, 39 f, 40 f, 41, 43, 44,
 51 f, 52 f, 53 f, 54 f, 55 f, 56,
 59, 65, 67, 68 f, 69 f, 70 f,
 71 f, 72 f, 73, 74, 78, 79 f, 83,
 84, 91, 92 f, 125 f, 127 f, 128 f,
 129 f, 130 f, 131 f, 132, 133,
 134 f, 135 f, 136, 137 f, 138,
 139, 141 f, 143, 145, 163 f,
 171 f, 172, 179, 181
Baum, Oskar 20, 34, 53, 111,
 119, 157, 164 f, 178
Blei, Franz 58
Bloch, Grete 26, 57, 140, 179
Brod, Elsa 95 f, 96
Brod, Max 9 f, 11, 12, 14, 15,
 16, 19, 20, 26, 31 f, 32, 34,
 42, 44 f, 53, 56, 58, 59, 64,
 65, 68, 70, 72, 74, 80, 81, 82,
 85, 86, 89, 93 f, 95, 96 f, 101 f,
 102, 103 f, 104, 113, 117,
 119, 124 f, 125, 127, 139,
 142, 144, 146 f, 149, 153 f,

 154, 155 ff, 158, 159, 160,
 165 f, 170, 171, 178, 179, 181
Brod, Otto 178
Buber, Martin 93, 155
Cassirer, Paul 97
Davidová, Ottla s. Kafka
Davidová, Věra 101
Diamant, Dora 180
Dickens, Charles 46 f, 50, 116
Ehrenstein, Albert 73
Flaubert, Gustave 31, 46,
 150 f
Freud, Sigmund 19, 59
Friedrichs, Paul 73
Garnett, David 59
Goethe, J. W. 17, 159, 169 f
Goltz, Buchhandlung 83
Haas, Willy 21
Hardekopf, Ferdinand 29
Hardt, Ernst 174
Hartlaub 159
Hasenclever, Walter 29
Heine, Heinrich 159
Herzen, Alexander 144
Janouch, Gustav 29 f, 48 f, 49 f,
 50, 59 f, 60 f, 86 f, 97 f, 98,
 150 f, 151 ff, 180, 181

Inhalt

© 1969 Ernst Heimeran Verlag München
Alle Rechte an dieser Zusammenstellung vorbehalten
Gesetzt aus der Sabon Antiqua, gedruckt und
gebunden bei der Passavia AG Passau
Umschlaggestaltung Horst Bätz
Printed in Germany 1969
Archiv 425